Quando se vê o heroico, o valente defensor da *Verdade*, o altruísta, o apologeta engajado em assuntos importantes, o proclamador da Bíblia, a personalidade bem humorada e risonha e a cachoeira perene de literaturas edificantes que foi Charles Spurgeon, fica difícil imaginar tal perfil servir a uma personalidade tão frequente e completamente imersa em dores e depressões, tanto mentais quanto espirituais. No entanto, Spurgeon, em sua plenitude, desde os primeiros anos até o fim de seus dias, conviveu com uma angústia sombria, constantemente pairando sobre os contornos de sua mente, que às vezes investia em ataques contra seu próprio ser. A forma como ele administrou tudo isso, pela graça de Deus, tanto para si mesmo como para os outros, é o que inspira tanto o conteúdo cativante quanto o estilo literário fascinante de Zack Eswine em *A Depressão de Spurgeon*. Por transbordar um conhecimento abrangente e profundo acerca da produção literária dos sermões de Spurgeon sobre o tema, este livro é para aqueles em tempos de trevas, para aquelas pessoas que procuram entender e ajudar aos que vivem tais tempos, e para aqueles que têm sofrido perdas que mudaram suas vidas por conta de sua incapacidade de escapar das garras de trevas tão perturbadoras.

    Tom J. Nettles
    Professor de Teologia Histórica em *The Southern Baptist Theological Seminary*, Louisville, Kentucky

Zack Eswine, pregador, pastor e não desconhecedor do sofrimento, assim como Spurgeon, mergulhou nas pregações desse homem do século dezenove e em suas experiências de depressão para nos revelar um indivíduo como nós, vulnerável a todos os tipos de dificuldades e perdas na vida, lutando para compreender as grandes e perenes questões da bondade de Deus, da presença do mal e da fragilidade do corpo, da mente e das emoções. Neste tesouro rico e poético, há muito incentivo, conforto e ajuda prática a serem encontrados.

    Richard Winter
    Autor do livro *"When Life Goes Dark:*
    Finding Hope in the Midst of Depression"
    Diretor do Conselho do *Covenant Theological Seminary*
    St. Louis, Missouri

Zack Eswine é um pastor com a mente de um acadêmico e o coração de um poeta. Sua sabedoria, que bebeu das lutas de Charles Spurgeon contra a depressão, é teologicamente profunda e pastoralmente lúcida.

Recomende este livro a qualquer pessoa que você conheça e que tenha se perguntado sobre depressão, ministério pastoral ou Deus.

    Jason Byassee
    Autor de *"Discerning the Body:*
    Searching for Jesus in the World"
    Pastor Senior da *Boone United Methodist Church*
    Boone, North Carolina

O rio da vida frequentemente flui através de pântanos de desânimo. Charles Spurgeon sabia muito bem disso. Conhecia a depressão. Conhecia o Deus de quem a vida flui. Repito o mesmo acerca de Zack Eswine neste livro excepcional, renovador e sóbrio. O livro é um comentário detalhado e uma meditação sobre a experiência de Spurgeon. Eswine aponta continuamente para a realidade de que, para Spurgeon, a depressão permanece sendo uma experiência intrinsecamente humana. Muitas vezes, em nossos dias, a depressão é reinterpretada como uma "coisa", tornada um objeto restrito a um diagnóstico meramente médico e alienado de nossa condição humana. Este livro nos abre um horizonte de esperança — sem explicações reducionistas, sem respostas mágicas. Leia-o e o considere profundamente.

David Powlison (1949-2019)
Foi Diretor Executivo da CCEF
Foi Editor Senior, *Journal of Biblical Counseling*

A DEPRESSÃO DE
SPURGEON

ESPERANÇA REALISTA EM MEIO À ANGÚSTIA

ZACK ESWINE

FIEL
Editora

E79d Eswine, Zack, 1969-
A depressão de Spurgeon : esperança realista em meio à angústia / Zack Eswine – São José dos Campos, SP : Fiel, 2015.

175 p. ; 21 cm.
Tradução de: Spurgeon's Sorrows.
Inclui referências bibliográficas.
ISBN 9788581322957

1. Sofrimento – Aspectos religiosos – Cristianismo. 2. Vida cristã. I. Título.

CDD: 234.13

Catalogação na publicação: Mariana C. de Melo – CRB07/6477

A Depressão de Spurgeon:
Esperança Realista em meio à Angústia

Traduzido do original em inglês:
Spurgeon's Sorrows: Realistic Hope for those who Suffer from Depression
©2014 por Zack Eswine

∎

Publicado em inglês por
Christian Focus Publications
Geanies House, Fearn, Ross-shire,
IV20 1TW, Scotland, United Kingdom.
www.christianfocus.com

Copyright © 2015 Editora Fiel
Primeira Edição em Português: 2015

Todos os direitos em língua portuguesa reservados por Editora Fiel da Missão Evangélica Literária
PROIBIDA A REPRODUÇÃO DESTE LIVRO POR QUAISQUER MEIOS, SEM A PERMISSÃO ESCRITA DOS EDITORES, SALVO EM BREVES CITAÇÕES, COM INDICAÇÃO DA FONTE.

∎

Diretor: Tiago J. Santos Filho
Editor-chefe: Vinicius Musselman
Editor: Tiago J. Santos Filho
Consultor Editorial: Gilson Santos
Coordenação Editorial: Gisele Lemes
Tradução: Translíteris
Revisão: Translíteris
Revisão Técnica: Gilson Santos
Diagramação: Rubner Durais
Capa: Rubner Durais
ISBN impresso: 978-85-8132-295-7
ISBN e-book: 978-85-8132-309-1

FIEL Editora

Caixa Postal 1601
CEP: 12230-971
São José dos Campos, SP
PABX: (12) 3919-9999
www.editorafiel.com.br

SUMÁRIO

Prefácio à Edição em Português 15

PARTE 1 – BUSCANDO ENTENDER A DEPRESSÃO

Capítulo 1 – A Estrada da Aflição 27

Capítulo 2 - A Depressão e nossas Circunstâncias 37

Capítulo 3 - A Doença da Melancolia 47

Capítulo 4 - Depressão Espiritual 59

PARTE 2 - APRENDENDO A AJUDAR OS QUE SOFREM DE DEPRESSÃO

Capítulo 5 - Diagnóstico Não Cura 81

Capítulo 6 - Uma Linguagem para as nossas Aflições 93

Capítulo 7 - Ajudas que Fazem Mal 103

Capítulo 8 - Jesus e a Depressão 113

PARTE 3 - CONHECENDO FORMAS DE AJUDA PARA LIDAR DIARIAMENTE COM A DEPRESSÃO

Capítulo 9 - Promessas e Orações 127

Capítulo 10 - Ajudas Naturais 141

Capítulo 11 - O Suicídio e a Escolha pela Vida 157

Capítulo 12 - Os Benefícios da Aflição 173

Para Jessica,
um socorro no *Pântano do Desânimo*;
minha amiga *Esperança* contra o *Gigante Desespero*
e no *Castelo da Dúvida*

AGRADECIMENTOS

Externo aqui os meus agradecimentos à congregação de *Riverside Church*, no contexto da qual escrevo este livro. Em particular, devo-lhes muito pelo tempo dedicado, pela parceria e pelos conselhos de Jonathan e Liz Block, Sam e Greta Coalier, Ray e Donna Hagerty-Payne, Jason e Natalie Wilson, Margaret Wolfinbarger. Juntamente com o Dr. Richard Winter, vocês me ajudaram a crescer.

"Sou o alvo de depressões de espírito tão assustadoras que espero que nenhum de vocês jamais tenha que passar por tais extremos de desgraça."[1]

"Cuidamos das doenças do corpo muito prontamente. Elas são muito dolorosas para nos permitir dormir em silêncio e logo nos impelem a procurar um médico ou cirurgião para nos curar. Oh, quem dera fôssemos assim tão atentos em relação às mais sérias feridas de nosso homem interior."[2]

"Eu sei, pessoalmente, que não há nada no mundo que o corpo físico possa sofrer que se compare à desolação e à prostração da mente."[3]

CHARLES HADDON SPURGEON

---

[1] Charles Spurgeon, "Joy and Peace in Believing," Metropolitan Tabernacle Pulpit (MTP), Vol. 12, Sermão 692 (http://www.spurgeongems.org/vols10-12/chs692.pdf), acessado em 14/12/13.
[2] Charles Spurgeon, "Healing for the Wounded," The New Park Street Pulpit (NPSP), Vol. 1, Sermão 53 em The Spurgeon Archive (http://www.spurgeon.org/sermons/0053.htm), acessado em 13/12/13.
[3] Charles Spurgeon, "The Garden of the Soul," MTP, Vol. 12, Sermão 693 (Ages Digital Library, 1998), p. 370.

PREFÁCIO À EDIÇÃO EM PORTUGUÊS

Gilson Santos •

Charles Haddon Spurgeon (1834-1892) foi um pregador batista britânico que pastoreou o *Tabernáculo Metropolitano* em Londres. Havendo exercido um ministério muito influente em grande parte do mundo, o seu monumental trabalho, inclusive o vastíssimo material escrito, constitui-se em um legado singular na história do cristianismo evangélico. Sua vocação notória para a pregação bíblica, bem como os marcos norteadores de sua teologia, renderam-lhe os títulos de "O Príncipe dos Pregadores" e "O Último dos Puritanos".

Alguém no meio cristão evangélico colocaria em questão a importância do pensamento de Spurgeon? Há alguém que ignore que ele é considerado um "campeão da fé", do púlpito, do ministério pastoral e da controvérsia evangélico-reformada? O que uma pessoa assim teria a comunicar sobre a depressão? Neste livro, Zack Eswine trabalha principalmente com a sermonística de Spurgeon. Percebe-se que, em rigor, o que o autor pretende é solicitar que o próprio Spurgeon ofereça a sua ajuda pastoral àqueles que sofrem de depressão. Pensar que um homem como Spurgeon lidou com este assunto, tanto na experiência pessoal quanto no púlpito, pode ser de imensa relevância hoje em dia e, talvez, surpreendente para muitos.

Observe-se, inicialmente, que o cuidado pastoral de Spurgeon, alinhado em seus principais referenciais teóricos com a tradição puritana (conquanto em alguns aspectos também se posicionasse criticamente em relação a ela), era pautado pelas Escrituras Sagradas, buscando nestas a luz para lidar com os problemas de seu rebanho. Como ele mesmo disse: "Creio em uma inspiração plenária e humildemente olho para o Senhor em busca de um cumprimento plenário de cada frase que Ele fez registrar".

Um segundo aspecto a ser observado no cuidado pastoral de Spurgeon é o seu meticuloso esforço por encontrar o ensino das Escrituras Sagradas acerca do "coração" e "alma" humanos. Isto é, ele esforçou-se para alcançar uma compreensão bíblica daquilo que se convenciona chamar de "vida interior" do homem, e da relação que esta possui com o comportamento exterior. Depois de Cristo, há de se duvidar que algum personagem bíblico tenha conhecido tão bem a alma humana quanto Davi; também é de se duvidar que alguém tenha conhecido tão bem o coração de Davi quanto Spurgeon. A *opus magna* de Spurgeon é *O Tesouro de Davi*, cujos volumes contêm uma profunda investigação dos Salmos e nos oferecem uma igualmente profunda percepção da alma humana.

A convicção de Spurgeon era que a revelação divina que está na Bíblia não oferece apenas a verdade fidedigna e mais elevada acerca de Deus, mas também da verdadeira e mais profunda natureza humana. Desta forma, somente à luz das Escrituras o ser humano é capaz de perceber desde o começo a realidade sobre o próprio coração, em vez de ficar tateando sem rumo no escuro, ou, por fim, acabar em um beco sem saída. Em seu cuidado pastoral, Spurgeon procurava chegar perto do coração de sua ovelha. É no coração que o ser humano se encontra posicionado, para bem ou para mal, em relação a Deus ou aos ídolos. Foi para tal profundidade interior que ele procurou dirigir o seu cuidado pastoral.

Um terceiro aspecto é que Spurgeon, submetido à luz da Escritura Sagrada, e tal como aprendia dos sábios dos tempos bíblicos, notavelmente no Antigo Testamento, também não se esquivou de observar a pessoa humana neste mundo "debaixo do sol", criado por Deus e regulado por leis que Ele mesmo estabeleceu. Protótipos dos conselheiros encontrados no registro bíblico, os sábios, orientados pelo princípio do "temor do Senhor", observavam com discernimento e judiciosamente o mundo criado por Deus, a fim de extrair compreensões acerca da pessoa humana, inclusive em sua própria experiência, confrontando-as com a palavra normativa e autoritativa do Senhor. O sábio do Antigo Testamento é alguém distinguido por uma sabedoria que lhe dá discernimento, critério e medida justamente por observar e refletir na Escritura e na criação, no temor e amor a Deus. Deste movimento, derivava um conhecimento que não era apenas descritivo mas também prescritivo, como se pode observar com clareza no livro de Provérbios. O leitor observará a prática de tal princípio aqui neste livro, onde Spurgeon recorre, inclusive, à sua experiência pessoal.

Assim, afirmados os indubitáveis compromissos de Spurgeon com a Bíblia, é necessário lembrar que nem tudo o que podemos saber sobre o homem está registrado na Bíblia. A Bíblia não nos dá uma resposta concreta e específica a toda e qualquer pergunta. Nesse sentido, Spurgeon, alinhado à tradição reformado-puritana, encontrava o seu ponto de partida na Bíblia, e usava a luz esplêndida que a Bíblia lança sobre toda a criação a fim de adquirir mais conhecimento sobre o homem por meio da observação, e para interagir criticamente com áreas mais específicas de pesquisa e experimentação. Ele esforçava-se por responder, ao espírito e à luz da Bíblia, as questões não tratadas diretamente pela Bíblia. Sua intenção era, entretanto, ser fiel à Bíblia, a saber, fiel à forma ou ensino pelo qual a Bíblia em geral se expressa, embora procurasse derivar dela o seu conhecimento mais essencial e profundo acerca do ser humano. Devotado à pregação, ao ensino e à aplicação bíblica, a abordagem de Spurgeon era, definidamente, aquela denominada de *Sola Scriptura* ("somente a Bíblia"), não postulando, portanto, a abordagem geralmente conhecida como *Nuda Scriptura* ("a Bíblia sozinha").

Dessa maneira, em quarto lugar, o leitor poderá observar neste livro que Spurgeon não estabelecia uma abordagem aprioristicamente antitética entre o seu cuidado pastoral e os estudos ou conclusões das ciências, e particularmente no assunto aqui abordado, da medicina e de pesquisas psicológicas de seus dias. Nisso, mais uma vez, ele se encontrava alinhado com a fé reformada, notadamente a puritana, a qual valorizou grandemente a experimentação empírica. Através da história do cristianismo, a ciência tem sido vista, fundamentalmente, como um dom de Deus, embora cristãos amadurecidos não a tiveram simploriamente como infalível ou neutra por definição em relação a Deus – o que pode ser particularmente observado a partir de meados do século dezenove. Assim, cristãos têm preferido uma abordagem positivamente crítica em relação à ciência, e no caso de Spurgeon, o que se vislumbra é o manejo das Escrituras Sagradas como a "vara de medir".

O que temos dito já nos permite situar, assim, a abordagem de Spurgeon para a depressão. Representante da clássica poimênica puritana, Spurgeon alinhava-se à tradição de muitos pregadores e escritores em seu entendimento sobre as depressões e senso de "deserção espiritual", os quais utilizavam-se das experiências de Jó (13, 16, 19, 31), Asafe (Sl 77) e Hemã (Sl 88), bem como outros exemplos escriturísticos, a fim de exemplificá-las. De um modo geral, essa tradição sustentava três contextos ou categorias para as depressões. O leitor deve atentar para o fato de que Eswine propõe igualmente uma tríplice categorização na primeira unidade deste livro, e isso deve ser tomado em contexto especialmente na leitura do capítulo oito, "Jesus e a Depressão". Assim, por um lado, algo muito importante na abordagem de Spurgeon é que ela não reduz a depressão a uma questão de medicina.

Neste ponto, porém, algo mais deve ser dito. Os conceitos de saúde e doença experimentaram com a medicina grega uma importante inflexão. Hipócrates de Cós (460-377 a.C.), considerado o pai da Medicina, e Galeno de Pérgamo (ca. 129-217) propuseram uma medicina humoral, caracterizada pela valorização da observação empírica. Desde o início, os puritanos valeram-se de contribuições da medicina hipocrático-galênica e recorreram ao conceito de "melancolia", que era usualmente utilizado por eles para definir a condição de depressão para a qual o sujeito não podia oferecer nenhuma razão coerente, e que resultava de causas naturais ("constitucionais"), em distinção das causas definidamente espirituais ou circunstanciais. Nesse contexto militaram, por exemplo, o pastor e "médico leigo" Richard Baxter (1615-1691), Timothy Rogers (1658-1728), em seu volumoso tratado sobre os problemas da mente e a doença da melancolia, Jonathan Edwards (1703-1758) e muitos outros. O cuidado pastoral desses homens expressou a abordagem puritana padrão para a depressão, conquanto também tenha havido alguma variação quanto ao foco ou contexto. Assim, é compreensível que nessa tradição, Richard Baxter tenha recomendado medicamentos em um dos seus sermões sobre o assunto, e Thomas Brooks (1608-1680) tenha escrito em uma nota de rodapé que "a cura da melancolia pertence ao médico em vez do ministro religioso; a Galeno em vez de Paulo". Pela época de Spurgeon, já estava grandemente superado o conceito *humoral* de melancolia, que se supunha resultar da prevalência de um fluido que modulava o temperamento. Não obstante, permanecia o entendimento de que ela resultava de causas naturais ("constitucionais") e de que podia ser detectada por meio de observação empírica, inclusive pelo ministro em seu cuidado pastoral. Neste particular, no século dezenove, Spurgeon não era exatamente um "inovador" nessa abordagem poimênica; ao contrário, era herdeiro e o último grande representante dela, antes do alvorecer do século vinte.

Por fim, é muito significativo que Spurgeon, igualmente alinhado na mesma tradição puritana, haja tratado ampla e regularmente deste tema em sua pregação. Neste tempo em que os mais maduros expositores bíblicos acautelam-se, com razão, de uma sermonística degenerada em discursos de autoajuda, é igualmente vital resgatar o entendimento de que os sofrimentos e problemas no cotidiano das pessoas não podem ser negligenciados pelo cuidado pastoral de um modo mais amplo e pelo púlpito em particular.

O livro que o leitor tem em mãos pode contribuir para uma pastoral reformada no contexto do sofrimento. Zack Eswine encontra em Spurgeon grande encorajamento para o problema que também conhece por experiência pessoal. A sua intenção é que "as aflições de Spurgeon" ofereçam "esperança realista para aqueles que sofrem de depressão". E o autor sublinha que "a esperança realista é algo saturado de Jesus". O profeta Isaías apresenta Cristo como "homem de dores e que sabe o que é padecer" (Is 53.3), e o escritor da Epístola aos Hebreus enfatiza que "não temos sumo sacerdote que não possa compadecer-se das nossas fraquezas; antes, foi ele tentado em todas as coisas, à nossa semelhança, mas sem pecado" (Hb 4.15); logo, "naquilo que ele mesmo sofreu, tendo sido tentado, é poderoso para socorrer os que são tentados" (Hb 2.18). Neste livro, o leitor encontrará a conclusão de Spurgeon de que a "simpatia" de Cristo com os nossos sofrimentos inclui o sofrimento mental. A pessoa que sofre de depressão pode, então, encontrar em Cristo um bom amigo para a sua aflição, pois Cristo sabe o que é *este* padecer.

■ *Gilson Carlos de Souza Santos* possui bacharelado em Teologia, formação em Psicologia, e licenciaturas em História e Geografia. É concluinte de uma especialização em Avaliação Psicológica Clínica, e aluno de especialização em Psicopatologia na *Faculdade de Ciências Médicas da Santa Casa de São Paulo*, com atuação prática no *Centro de Atenção Integral à Saúde Mental* (antigo "Hospital Psiquiátrico da Vila Mariana"). Exerce atividades pastorais desde 1987 e docentes desde 1988. Preside desde 1999 o corpo pastoral da *Igreja Batista da Graça em São José dos Campos*, São Paulo. Integra o conselho administrativo do *Seminário Martin Bucer no Brasil*, no qual leciona especialmente disciplinas na área pastoral. www.gilsonsantos.com

PARTE UM

BUSCANDO ENTENDER A DEPRESSÃO

Capítulo 1

A ESTRADA DA AFLIÇÃO

A estrada da aflição tem sido bastante pisoteada; ela é a trilha regular das ovelhas para o Céu, e todo o rebanho de Deus tem tido de passar por ela.[4]

Como os atravessaremos? Os tempos que acabam com nosso fôlego, quando até mesmo os mais fortes e mais valentes dentre nós têm de admitir com os olhos desolados: "eu não sei o que orar" (parafraseando o que Paulo expressa em Romanos 8.26). Como atravessar tais momentos em que o silêncio supera as palavras? É como se nossas palavras não oferecessem coletes salva-vidas. Elas precisam manter-se flutuando em águas rasas e observar-nos a certa distância. As palavras não têm força para se aventurar conosco nas profundezas que nos tragam e engolem.

E muitos de nós que acreditamos em Jesus não gostamos de admitir isso, mas aqui também não encontramos imunidade. Muitos de nós sabemos o que é perder cabelo,

---

4 Charles Spurgeon, "The Fainting Hero," MTP, Vol. 55, Sermão 3131.

peso, apetite e a nossa própria aparência física. Circunstâncias dolorosas ou uma disposição à tristeza em nossa química podem vestir botas enlameadas e colocar-se de pé, de uma maneira densa e pesada, sobre o nosso peito cansado. É quase como se a ansiedade estivesse amarrando uma corda ao redor dos calcanhares e mãos de nossa respiração. Presos a uma cadeira, com as luzes apagadas, assentados e, em pânico, engolindo o ar sombrio.

Esses tipos de circunstância e condição química de nosso corpo também podem roubar os dons do amor divino, como se o álbum fotográfico de Deus e todas as suas cartas de amor estivessem queimando em uma fogueira bem do outro lado da porta, uma fogueira que somos incapazes de apagar. Ali sentamo-nos, desamparados nas trevas da ausência divina, atados à cadeira, na presença de cinzas e ao som de nossa respiração ofegante, enquanto tudo o que prezamos parece perdido para sempre. Até nos questionamos se não fomos nós mesmos que causamos tudo isso. A culpa é nossa. Deus está contra nós. Perdemos o direito à ajuda de Deus.

Mentalmente, tudo isso – e ainda é terça-feira!

Como atravessamos isso?

NOSSA SENSAÇÃO DE DESAMPARO

Em uma manhã de novembro, um pregador chamado Charles Spurgeon usou sua pregação para descrever os ajudadores nocivos, que gostam de dizer aos deprimidos: "Oh! Você não deveria se sentir assim!" ou "Oh! Você não deveria dizer nem pensar tais coisas".⁵ Então, proferiu uma palavra em defesa daqueles que sofrem de depressão: "não é fácil dizer como uma outra pessoa deve sentir e como deve agir," ele disse.

> Somos diferentes, cada um de nós, mas tenho certeza de que há uma coisa em que todos somos unidos em tempos de profunda agonia, a saber, a sensação de desamparo.⁶

Sentimos o desamparo, sim, e a vergonha também. À semelhança de outros problemas relacionados à saúde mental, nós não falamos a respeito da depressão. E se falamos, ou sussurramos como se o assunto fosse escandaloso, ou o repreendemos como se fosse um pecado. Não é à toa que muitos de nós não procuram ajuda, pois quando o fazemos, aqueles que tentam ajudar apenas tornam mais constrangedora a situação.

Como é então que este pregador pôde se levantar publicamente em uma congregação e falar tão abertamente sobre a depressão? Ele era pastor de uma megaigreja, uma das primeiras que houve. Era nos anos de 1800. Ele era britânico, vitoriano e batista. Como um rapaz como aquele estava falando tão abertamente sobre um assunto como esse?

A resposta é parcialmente revelada em meio ao luto que resultou de uma circunstância catastrófica. Apenas duas semanas

---

5 Charles Spurgeon, "A Exaltação de Cristo," NPSP, Vol. 2, Sermão 101, (2 de novembro, 1856). (http://www.monergismo.com/textos/chspurgeon/exaltacao-Cristo-sermao101_CH--Spurgeon.pdf).
6 ibid.

antes desse sermão de início de novembro, quando falou sobre o desamparo e defendeu os depressivos, ele havia pregado para milhares de pessoas naquele exato local. Mas, enquanto pregava, um "brincalhão" gritou "Fogo!". O pânico gerado deixou sete pessoas mortas e vinte e oito seriamente feridas.

Charles (posso chamá-lo assim?) tinha apenas vinte e dois anos de idade e abraçava o décimo mês de seu recente casamento. Ele e sua esposa estavam dobrando fraldas bem no auge de seu primeiro mês como pais de filhos gêmeos em uma casa nova e cheia de coisas ainda encaixotadas. Agora, com tantas pessoas mortas, jornais por toda Londres culpavam-no cruelmente e sem misericórdia. A tragédia sem sentido e a acusação pública quase acabaram com a sanidade mental de Charles, não só nesses momentos iniciais, mas também com os duradouros efeitos que trouxeram.

Inicio nossa conversa sobre depressão com esse sermão de novembro, em meio à honestidade confessa de um pastor à sua congregação. Eu inicio dessa forma, pois essa pregação revela o que o homem afligido disse na primeira vez que subiu novamente ao púlpito depois daquela "brincadeira" fatal. Ele começou — e espero que você também perceba o quão útil é isto — confessando publicamente sua condição humana:

> Nesta manhã, quase me arrependo de ter me aventurado a ocupar esse púlpito, pois eu me sinto profundamente incapaz de pregar-lhes para seu bem. Eu tinha achado que o silêncio e o

repouso dessa última quinzena já tivessem anulado os efeitos daquela terrível catástrofe, entretanto, ao voltar novamente ao mesmo local, e mais especificamente, ficando aqui em pé para me dirigir a vocês, sinto um pouco daquelas mesmas emoções dolorosas que quase me deixaram prostrado. Portanto me perdoem nesta manhã (...) fiquei completamente impossibilitado de estudar (...) Oh, Espírito de Deus, aperfeiçoa tua força na fraqueza de teu servo, e capacita-o para honrar a seu Senhor, mesmo quando sua alma está abatida em seu interior.[7]

O fato de que um pastor cristão tão proeminente tenha lutado contra a depressão, e dela tenha falado tão abertamente, convida-nos à amizade com um companheiro sofredor. Porque esse pastor e pregador saiu à luta com fé e dúvida, sofrimento e esperança, nós ganhamos um companheiro na jornada. Em meio a sua história, podemos começar a encontrar também a nossa própria. O que ele encontrou de Jesus na escuridão pode nos servir de luz para as nossas próprias trevas.

A AFLIÇÃO DO MEU AMADO

Chega um momento na vida da maior parte de nós em que não temos mais a força para nos levantar ou para fingir que somos fortes. Às vezes nossas mentes querem colapsar por-

---

7 Charles Spurgeon, "A exaltação de Cristo," NPSP, Vol. 2, Sermão 101.

que a vida nos pisoteou e Deus não a refreou. À semelhança de uma família que, de férias aos pés de uma montanha, assiste a um de seus entes queridos escorregar e cair sobre as pedras, exatamente quando tudo deveria ser bonito e divertido; ou como um pai cujo filho foi maltratado ou baleado enquanto estava na escola, Charles e aqueles que perderam seus amados naquele dia terrível tiveram de entrar em acordo com o sofrimento na casa de Deus, enquanto a Palavra era pregada e um brincalhão gargalhava.

Indagações enchem nossos pulmões. Nossa mente ofega. Ficamos entorpecidos. Quando estamos de férias, na escola ou na igreja, *tal* tipo de coisa não deveria acontecer *ali*.

Até mesmo os joelhos de um seguidor de Jesus se enfraquecem. A esposa de Charles, Susannah, disse a respeito de seu marido naquele tempo: "a aflição do meu amado era tão profunda e violenta que a razão parecia desfalecer em seu trono e, às vezes, temíamos que ele nunca mais pregasse."[8]

Embora isso não possa ser dito de todos nós ou de todas as pessoas que amamos, nesse caso, Charles Spurgeon pregou novamente. Porém, aflições de todo o tipo o assombraram e perseguiram-no pelo resto de sua vida. Sua depressão veio não apenas em função das circunstâncias, ou questões sobre se era ou não consagrado a Deus, mas também em função da química de seu corpo. Deus nos deu um pregador que soube em primeira mão o que realmente é

---

8 Charles Ray, *The Life of Susannah Spurgeon*, em *Morning Devotions by Susannah Spurgeon: Free Grace and Dying Love* (Edinburgh: The Banner of Truth Trust, 2006), p. 166.

sentir sua razão cambalear, não apenas uma vez, mas muitas vezes durante sua vida e seu ministério. E, de alguma forma, esse companheiro sofredor chamado Charles e sua querida esposa Susannah (que também sofreu fisicamente a maior parte de sua vida adulta) ainda tiraram proveito disso, insistindo para si e para a sua geração que os aflitos têm mesmo um Salvador.

Naquela manhã de novembro, enfraquecido, Charles fez o que alguns de nós ainda não são capazes de fazer em meio às aflições; ele leu a Bíblia. Talvez isso irá confortá-lo ao saber que, por um instante, "a simples imagem da Bíblia" o fez chorar.[9] Muitos de nós sabem como é isso. Todavia esta passagem das Escrituras, Filipenses 2.9-11, "teve grande poder consolador em seu espírito aflito":

> E, achado na forma de homem, a si mesmo se humilhou, sendo obediente até à morte e morte de cruz. Pelo que também Deus o exaltou soberanamente e lhe deu um nome que é sobre todo o nome. (Fp 2.8-9)

A partir dessa passagem das Escrituras, Charles definiu diante de nós a maior história de sua esperança. O mesmo Pai Celestial que resgatou seu filho da lama, do tormento e dos maus tratos pode fazer o mesmo por nós.

---

9 Charles Spurgeon, "Honey in the Mouth," MTP, Vol. 37, Sermão 2213 (Ages Digital Library, 1998), p.485.

ENCONTRANDO FORÇAS

Você pode ou não saber o que pensar sobre isso agora. Mas sabemos, com certeza, você e eu, que mais frequentemente do que queremos, nossas estradas são terra e calor, puramente formigas e mosquitos. Às vezes nossos pés não conseguem se mover quando a música toca.

Nós também sabemos ("não sabemos?") que alguns de nossos amigos transpiram impaciência para conosco, os que têm de percorrer esses caminhos de aflição. O método deles se resume a piadas de bar, tapinhas nas costas e frases de efeito.

Eu não presumo que um pequeno livro como este possa curar tão grandes e profundas feridas ou que a história de uma pessoa, como Charles Spurgeon, por si mesma, possa trazer conforto em sua vida.

Porém, eu sei de algo, e pergunto: Você já percebeu que, quando nosso nariz fica vermelho e esfolado por causa do lenço ou nossos cabelos começam a cair, conseguimos até nos recompor para receber com prazer um bilhete escrito à mão de uma pessoa que nos deseja melhoras, ou o desenho de uma criança, mas não conseguimos aturar a palestra de um teólogo ou os escritos de um filósofo? Por isso, aquele amigo que gosta de ficar afirmando coisas, impaciente demais para ficar em silêncio, também terá de esperar para nos visitar em outro dia. Doentes por dentro, nosso estômago simplesmente não consegue digerir uma refeição inteira. Mas um pedacinho de biscoito pode ajudar. Um fragmento de gelo ou poucas sílabas de uma palavra amiga, escolhida no tempo certo, às vezes podem nos ajudar imensamente, não podem?

E ninguém deve pensar que os nutrientes vitais estão ausentes em uma dieta aparentemente tão escassa e em um momento tão estéril. Pelo contrário, os melancólicos que estão firmados graciosamente em Cristo testemunham com frequência sobre a nutrição surpreendente dada por alguns pedaços de pão diário. Dia após dia, a força os encontra e os conduz, embora não saibam como ou de onde vem o sustento.

Escrevo este livro esperando em oração que esses poucos fragmentos igualmente o nutram no sustento do Senhor. Quero ajudá-lo a atravessar. Deste modo, espero que você o possa receber da maneira que foi planejado, a saber, não como uma palavra exaustiva ou um tratado prosaico acerca da depressão, mas como um bilhete manuscrito de alguém que lhe deseja o bem. Bilhetes da graça, dos quais eu outrora também precisei desesperadamente.

Capítulo 2

A DEPRESSÃO E NOSSAS CIRCUNSTÂNCIAS

A mente pode desabar muito mais profundamente do que o corpo, pois nela há poços sem fundo. A carne pode suportar apenas um certo número de feridas e não mais, mas a alma pode sangrar de dez mil maneiras, e morrer repetidas vezes a cada hora.[10]

O guarda-chuva era cinza como as nuvens. Eu o segurei sobre eles enquanto se ajoelhavam na lama coberta com lona verde. Lá se ajoelharam debaixo da chuva, ao lado da cova. Lá se ajoelharam com a Bíblia aberta, lendo "eu sou a ressureição e a vida". As páginas estavam manchadas pelos grandes pingos d'água, não tanto pela chuva, mas por suas lágrimas.

Choravam também em alta voz. Gritavam. Às vezes eram orações o que bradavam enquanto eu segurava o guarda-chuva e a multidão permanecia acinzentada e imóvel. Outras vezes era como se um choro profundo explodisse para apanhar as sílabas e mutilá-las, ao mesmo tempo em que ela balançava seu corpo para frente e para trás, enquanto ele permanecia de joe-

---
10 Spurgeon, "Honey in the Mouth," MTP, Vol. 37, Sermão 2213, p. 485.

lhos, parado, mas não quieto. Não conseguíamos decifrar suas frases. Mas não precisávamos. O significado estava claro. Um caixão tão pequeno para uma criança tão jovem não era algo que deveria acontecer.

Coisas na vida podem nos machucar, circunstâncias que não desejaríamos para ninguém nos fazem dizer, junto com o apóstolo Paulo, "nenhum alívio tivemos; pelo contrário, em tudo fomos atribulados: lutas por fora, temores por dentro." (2Co 7.5). Dentro de uma comunidade de circunstâncias gritantes, os sobreviventes uivam com racionalidade:

> Ouviu-se um clamor em Ramá,
> pranto, choro e grande lamento;
> era Raquel chorando por seus filhos
> e inconsolável porque não mais existem. (Mt 2.18)

Até mesmo a beleza de um milagre como o nascimento de uma criança pode originar palavras que não conseguem sair da cama, palavras como "pós-parto". "Quem há em nossa espécie humana que seja totalmente livre de aflições?" Charles nos pergunta. "Vasculhem por toda a terra, e em todo lugar, o espinheiro e a erva daninha serão encontrados".[11]

"Há tempo de prantear" (Ec 3.4), não importa quem sejamos.

---

11 Charles Spurgeon, "The Man of Sorrows," MTP, Vol. 19, Sermão 1099 (Ages Digital Library, 1998), p.155.

O PAPEL DAS CIRCUNSTÂNCIAS DOLOROSAS

Uma circunstância já partiu seu coração? "Há várias formas de um coração partido"[12], Charles nos lembra afetuosamente.

- Deserção: negligência ou traição por parte de um cônjuge, membro da família ou amigo.
- Perda ou privação: doença ou morte de alguém que amamos.
- Penúria: perda de emprego, tensão financeira, pobreza em relação às necessidades básicas.
- Desapontamento e Derrota: sonhos frustrados, objetivos bloqueados, tentativas fracassadas, inimigos vitoriosos.
- Culpa: remorsos, sofrimentos que causamos aos outros, pecados contra Deus.

Tantas outras circunstâncias além dessas podem nos traumatizar, aqui debaixo deste sol, neste mundo assolado por crimes e tsunamis. Os sábios da antiguidade nos ensinam que se entristecer com coisas tristes é sensato:

> Melhor é ir à casa onde há luto
> do que ir à casa onde há banquete,
> pois naquela se vê o fim de todos os homens;
> e os vivos que o tomem em consideração. (Ec 7.2)

---

[12] Charles Spurgeon, "Healing for the Wounded," NPSP, Vol. 1, Sermão 53 (http://www.spurgeon.org/sermons/0053.htm), acessado em 13/12/13.

Então, vamos lembrar a nós mesmos desde o início: por si só, a tristeza ou a dor "é um dom de Deus para nós. É como sobrevivemos."[13]. É um ato de fé e sabedoria ficar triste com coisas tristes.

DEPRESSÃO COMO SINTOMA DE CIRCUNSTÂNCIAS DOLOROSAS

Às vezes a tristeza em resposta a uma circunstância dolorosa pode tomar um rumo sombrio. Ela se transforma em algo diferente de si mesma. O luto não termina e a criatura sombria a que chamamos depressão desperta de sua toca.

"Há certas formas de doença", observa Charles, "que afetam o cérebro e todo o sistema nervoso de tal forma que a depressão torna-se um sintoma melancólico da doença."[14].

> De forma bastante involuntária, a infelicidade da mente, a depressão do espírito e a aflição do coração virão sobre você. Você pode não ter nenhuma razão real para a tristeza e ainda pode vir a tornar-se um dentre os homens mais infelizes, porque, por ora, seu corpo subjuga a sua alma.[15]

---

13 Rick Warren citado por Jaweed Kaleem, "Rick and Kay Warren Launch Mental Health Ministry at Saddleback Church After Son's Suicide," (March 31, 2014: Huffington Post): (http://www.huffingtonpost.com/2014/03/28/rick-warren-mental-health_n_5051129.html), acessado em 31/03/14.

14 Charles Spurgeon, "The Fear of Death," MTP, Vol. 58, Sermão 3286 (Ages Digital Library, 198), p. 52.

15 Charles Spurgeon, "The Saddest Cry from the Cross," MTP, Vol. 48, Sermão 2803 (Ages Digital Library, 1998), p. 656.

Note que Charles fala da depressão como se nossas escolhas fossem anuladas. A depressão nos vem "involuntariamente", como se a coisa tivesse vontade própria. Perceba também que não existe uma razão identificável para o tamanho dessa angústia. Exibimos a infelicidade da mente, não importa se as circunstâncias de nossa vida são boas ou más.

Tristezas multiplicadas também podem tomar um rumo sombrio em direção à depressão. "Provações atrás de provações" acabaram com todas as nossas esperanças.[16] As provas se tornam como ondas no mar que rolam sobre nós uma após a outra. Tal "acúmulo de dores, tormentas, fraquezas e aflições" pode causar sérios danos em nós.[17] Nosso barco começa a naufragar. Ansiosos, enquanto as ondas nos sobrevêm, tampamos um buraco aqui outro acolá. A tempestade vai tomando forma. Nosso barco sobe e desce. Logo surgem mais buracos do que temos energia para tampar. As águas se quebram sobre nós. Esforçamo-nos o máximo que pudemos. A última onda passou do ponto. Nosso barco afundou. Nesse caso, essa depressão é mesmo "uma agonia fora de proporção"? Ou em meio a todo esse sofrimento a depressão em si já é a própria agonia?

Afinal de contas, para alguns de nós, fomos incapazes de viver qualquer outra cena se não aquela que nos massacrou. Fomos tragados tão profundamente que jamais consegui-

---

[16] Charles Spurgeon, "Sweet Stimulants for the Fainting Soul," MTP, Vol. 48, Sermão 2798 (Ages Digital Library, 1998), p. 575.
[17] Charles Spurgeon, "Faintness and Refreshing," MTP, Vol. 54, Sermão 3110 (Ages Digital Library, 1998), p. 591.

mos levantar a cabeça novamente. É como se, daquele tempo em diante, tivéssemos de prosseguir lamentando até nossas sepulturas.[18] As circunstâncias nos assombraram e prosseguiram fazendo-o. A depressão chegou e nunca partiu. Ela ainda nos assombra.

Talvez, em meio às nossas mais dolorosas circunstâncias, estão aquelas sofridas na infância. A depressão conquistou seu momento em nossa juventude e algo central em nosso temperamento é alterado permanentemente. Tornamo-nos como uma planta sensível, cujas gavinhas se enrolam ao toque. Desde então, nossas vidas exibem um constante encolhimento ao contato com outras pessoas. Não mais ousamos encarar o mundo[19]. Presumimos que o mundo nos persegue, sempre a fim de nos prejudicar.

Como então distinguir a diferença entre o dom da tristeza e o trauma da depressão circunstancial? Em seu aclamado livro, *O Demônio do Meio-Dia; Uma Anatomia da Depressão*, Andrew Solomon responde: "O pesar é a depressão proporcional à circunstância" enquanto "a depressão é um pesar desproporcional à circunstância."[20].

Vamos fazer uma pausa por um instante e admitir quão feio pode ser o sofrimento ordinário em proporção à circunstância. Por exemplo, qual a proporção de sofrimento que faz

---

18 Charles Spurgeon, "Weak Hands and Feeble Knees," NPSP, Vol. 5, Sermão 243 (http://www.spurgeon.org/sermons/0243.htm), acessado em 6/3/14.
19 ibid.
20 Andrew Solomon, *O Demônio do Meio-dia: uma anatomia da depressão* (São Paulo: Companhia das Letras, 2014), p. 16.

sentido para o sobrevivente de um genocídio? E a respeito de uma mãe cujo filho foi assassinado, ou o pai cuja filha perdeu uma longa luta contra o câncer e morreu jovem? Como definimos o que é saudável e proporcional não pode ser mensurado por nossa própria impaciência pessoal ou decoro cultural. A cruel situação, por si própria, deve revelar a merecida proporção de sofrimento.

SEM CURA PARA A TRISTEZA

Nessa perspectiva, contrária ao que algumas pessoas nos dizem, a tristeza não é um sinal de indolência ou pecado, nem de pensamento negativo ou fraqueza. Pelo contrário, quando nos encontramos impacientes com a tristeza, revelamos nossa preferência pela insensatez, nossa resistência à sabedoria e nosso descaso por profundidade e proporção.

Então, quando vemos pessoas que estão sofrendo, e queremos impedi-las disso, não devemos subestimar o que elas tiveram de superar em suas vidas. A depressão exige ainda mais compaixão e aceitação. Elas pecam sim. Porém todos nós já fomos alvos de pecado também. Se conhecêssemos as provações que as atacaram, talvez descobriríamos também uma vida em que tristezas medonhas e olhares miseráveis visitam mais nossa memória do que queremos.

A memória é, afinal, uma coisa muito poderosa. Ela pode tanto nos abençoar quanto assombrar. Alguns de nós são assombrados em suas memórias. Circunstâncias deixaram suas cicatrizes. Tais pessoas precisam de misericórdia e não de olhares reprovadores. Afinal, no lado de cá do paraíso, "Não há cura para a tristeza"[21] ou para a inevitável realidade da depressão. Nenhum santo ou herói está imune. O espaço para chorar alto ou por muito tempo continua sendo fortemente necessário, merecido e nobremente humano.

Então, enquanto nos dirigimos ao nosso próximo capítulo, vamos segurar juntos o guarda-chuva ensopado, próximo à beira do túmulo, e estabelecer esta importante verdade: neste mundo caído, a tristeza é um ato de sanidade e nossas lágrimas, o testemunho daquilo que é são.

O QUE NOS ENSINA A DEPRESSÃO ORIGINÁRIA DAS CIRCUNSTÂNCIAS

1. *A fé cristã na terra não é nem escapismo nem paraíso.* Charles fala sobre certos cristãos que, por sua posição de saúde e riqueza, sugerem que a perfeição, facilidade e imunidade às tribulações humanas descrevem o que a fidelidade a Jesus produz. Charles contradiz essa noção e descreve, ao invés disso, "o povo provado de Deus" que "não com frequência cavalga esses cavalos altos." O número expressivo de suas ansiedades e preocupações os forçam a uma vida na qual devem frequentemente clamar a Deus e que expõe sua condição humana de simples mortais.[22]

2. *Não equiparamos bênçãos espirituais com comodidade*

---

21 Susanna Kaysen, "One Cheer for Melancholy," em *Unholy Ghost: Writers on Depression* (New York: Perennial, 2002), p. 41.
22 Charles Spurgeon, "Night and Jesus Not There!" MTP, Vol. 51, Sermão 2945 (Ages Digital Library, 1998), p. 457.

circunstancial. "Estou certo de que meus irmãos estão frequentemente em tribulações. A vida inteira deles é rastejar-se para sair de um pântano de desânimo e afundar em outro. Você teve muitas perdas nos negócios — nada mais além de perdas talvez; você teve muitas cruzes, privações, lutos, nada prospera com você (...) isso não é sinal, amado, de que você não é um filho de Deus (...) lembre-se que nenhuma de suas provações pode provar que você é um homem perdido."[23]

3. *Nós que não sofremos depressão circunstancial devemos aprender o cuidado pastoral para com aqueles que a sofrem.* Quando uma pessoa "passou por uma experiência similar" de depressão, "ela usa outro tom de voz totalmente diferente. Ela sabe que, mesmo que seja algo sem sentido para os fortes, assim não o é para os fracos, e ela então adapta seus comentários de modo que anime" o sofredor "onde outros só infligem dor adicional. A você que tem o coração quebrantado, Jesus conhece todas as suas aflições, pois aflições semelhantes foram a sua porção" também.[24]

---

23 Charles Spurgeon, "The Believer Sinking in the Mire," MTP, Vol. 11, Sermão 631 (Ages Digital Library, 1998), p. 361.
24 Charles Spurgeon, "Binding Up Broken Hearts," MTP, Vol. 54, Sermão 3104 (Ages Digital Library, 1998), p. 491.

Capítulo 3

A DOENÇA DA MELANCOLIA

Eu não culparia todos aqueles que são muito dados ao medo, pois de certa forma trata-se mais de sua doença do que de seus pecados e mais do seu infortúnio do que de suas faltas.[25]

Às vezes a depressão não se origina a partir de circunstâncias dolorosas. De acordo com Charles, "algumas pessoas são constitucionalmente tristes".[26] Às vezes somos marcados pela melancolia desde o momento de nosso nascimento.[27]

MARCADO DESDE O NASCIMENTO

Que diferença essa melancolia, enquanto marca de nascença, faz na vida de uma pessoa? Responder a essa questão pode ajudar, a nós que sofremos, a começar a nos conhecer melhor e àqueles que nos amam a obter entendimento.

---

25 Charles Spurgeon, "Lançai Fora o Medo," MTP, Vol. 16, Sermão 930 (http://www.projetospurgeon.com.br/2012/01/lancai-fora-o-medo/)
26 Charles Spurgeon, "Joy, Joy, Forever!," MTP, Vol. 36, Sermão 2146 (Ages Digital Library, 1998), p. 373.
27 Charles Spurgeon, "Joyful Transformations," MTP, Vol. 14, Sermão 847, The Spurgeon Archive (http://www.spurgeon.org/joyful.htm), acessado em 13/12/13.

Para começar, nossa imaginação pode possuir uma fronteira mais sombria. Conforme observou Charles, "todos os nossos pássaros são corujas ou corvos".[28] Quando "alguém nasce com um temperamento melancólico, vê uma tempestade se formando até na calmaria".[29]

Nós também somos propensos a medos exagerados. "Pessoas desanimadas", de acordo com Charles, "podem encontrar motivo para o medo onde não há".[30]

Isso faz com que nos seja mais difícil encontrar alívio ou certeza de segurança. Se as coisas estão calmas, procuramos encontrar qual é o mal que nos espreita. Se as coisas vão mal, presumimos que o pior ainda está por vir. Imaginamos futuros catastróficos e, embora nenhuma das coisas más que imaginamos tenha acontecido conosco, "convertemos nossas suspeitas em realidade" e com elas torturamos a nós mesmos em nossa própria imaginação.[31]

Então, diferente de outros cujas dúvidas e medos diminuem, nosso "temperamento constitucional é tal que persistimos em duvidar".[32] Preocupações e ansiedades de muitas formas nos assolam. "Na menor alteração das circunstâncias,

---

28 Charles Spurgeon, "First Things First," MTP, Vol. 31, Sermão 1864 (Ages Digital Library, 1998), p. 712.
29 Charles Spurgeon, "Soberania Divina," NPSP, Vol. 2, Sermão 77, (http://www.monergismo.com/textos/chspurgeon/Soberania_Spurgeon.htm).
30 Charles Spurgeon, "Lançai Fora o Medo," MTP, Vol. 16, Sermão 930 (http://www.projetospurgeon.com.br/2012/01/lancai-fora-o-medo/).
31 Ibid.
32 Charles Spurgeon, "A Prayer for the Church Militant," MTP, Vol. 13, Sermão 768 (Ages Digital Library).

começamos a nos afligir".[33] Todo mundo se aflige e se preocupa, evidentemente. Mas a doença intensifica isso. Nós nos preocupamos mais. Ficamos com mais medo.

Às vezes, nossas responsabilidades corriqueiras nos fazem ficar ansiosos e pressionados. A ansiedade por um bom desempenho nos massacra. Pequenas coisas parecem gigantes. "Uma pessoa pode sentir que deveria fazer algo tão bem que, por esse mesmo motivo, não chegue a fazer o que poderia ter sido feito. Um excessivo senso de responsabilidade pode levar à estagnação."[34] A menos que possamos fazê-lo perfeitamente não tentaremos fazer de maneira alguma.

Então, frequentemente nos sentindo incapazes de fazer o que nossas responsabilidades demandam, somos perturbados por pensamentos acusadores e condenatórios em relação a cada engano e erro crasso, quer sejam reais ou imaginários. Podemos finalmente ficar entorpecidos. É como se nos fechássemos e sentíssemos tanto que acabamos não sentindo absolutamente nada.

Isso ressoa com sua experiência? A depressão é como uma escuridão que nos cobre aonde quer que vamos. "Quando as pessoas estão no escuro, elas têm medo de qualquer coisa, de tudo.".[35] Assim, quando nos sentimos constantemente na

---

33 Charles Spurgeon, "The Yoke Removed and the Lord Revealed," MTP, Vol. 25, Sermão 1462 (Ages Digital Library, 1998), p. 183.
34 Charles Spurgeon, *A Maior Luta do Mundo* (São José dos Campos: Editora Fiel, 2006), p. 11.
35 Charles Spurgeon, "Como Entender a Doutrina da Eleição," MTP, Vol. 30, Sermão 1797 (http://www.escolacharlesspurgeon.com.br/files/pdf/Como_Entender_a_Doutrina_da_Eleicao-Spurgeon.pdf)

escuridão mental, trememos e estremecemos pelo que está à espreita ao virar a esquina.

Claro que nem sempre. A depressão tem suas fases de "remissão". Não somos assediados a todo momento. Às vezes o descanso vem. As portas do porão se abrem e caminhamos bem felizes e à vontade pela luz do sol. Porém, o "corvo negro"[36] deseja e espera para nos atacar subitamente, e às vezes ele o faz.

Marcas biológicas de nascença, como as mencionados acima, podem até produzir certo tipo de "transtorno físico", segundo Charles. A "imaginação" melancólica pode aumentar e intensificar o que nos aflige. Entretanto, a "depressão do espírito" origina-se de "uma doença real, e não imaginária"[37]. Esses casos biológicos, Charles diz claramente, exigem "a intervenção do médico" mais do que do pastor ou do teólogo.[38] Pastores e cristãos precisam de profissionais médicos em sua equipe de cuidado pastoral.

O CORPO ALTERA NOSSOS HUMORES

Através da identificação de algumas formas de depressão como doença[39], Charles alude a um livro de sua biblioteca, escrito por Timothy Rogers e intitulado *Trouble of Mind and the Desease of Melancholy*. Roger definiu a melancolia de uma

---

36 Jane Kenyon, "Having it Out With Melancholy," *Jane Kenyon: Collected Poems* (Saint Paul, Minnesota; Grey Wolf Press, 2005) p. 233.
37 Charles Spurgeon, "The Cause and Cure of a Wounded Spirit," MTP, Vol. 42, Sermão 2494 (Ages Digital Library, 1998), p. 786.
38 Spurgeon, "The Cause and Cure of a Wounded Spirit," p. 786.
39 Charles Spurgeon, "Bells for the Horses," em Sword and Trowel (http://www.spurgeon.org/s_and_t/bells.htm), acessado em 13/12/13.

maneira típica a seu tempo, descrevendo como ela nos altera e nos endurece contra a alegria.[40] Segundo ele, a depressão é uma ladra de alegria.

Essa ladra de alegria também gosta de saquear nossa percepção de Deus. "Há algumas almas verdadeiras às quais Deus ama", observa Charles, "que, no entanto, não costumam desfrutar um dia de sol brilhante. São muito sombrias, tanto com relação a sua esperança quanto sua alegria. Algumas delas talvez tenham perdido, por meses, a luz do semblante de Deus".[41]

Agora, o que estou prestes a escrever demanda nossa atenção. A depressão é capaz de vandalizar tanto nossa alegria e nossa percepção de Deus de tal modo que nenhuma de suas promessas pode nos confortar, na ocasião, não importa quão verdadeiras sejam ou quão gentilmente sejam ditas. E pior, "tudo no mundo parece sombrio". Até mesmo as misericórdias de Deus nos assustam "e erguem-se como terríveis presságios do mal" ante os olhos de nossa mente.[42]

Vamos parar por um momento a fim de ressaltar três auxílios importantes:

1. *Sejamos nós aqueles que sofrem ou os cuidadores, devemos levar em conta a contribuição do corpo para a*

---

[40] Timothy Rogers, (1660-1729) *"Trouble of Mind, and the Disease of Melancholy,"* citado em Charles Spurgeon, *The Treasury of David*, Psalm 107, Explanatory Notes and Quaint Sayings (http://www.spurgeon.org/treasury/ps107.htm), acessado em 13/12/13. *Nota do revisor*: Esta obra, publicada originalmente em 1691, tem sido reeditada recentemente. Confira 2a. edição por Don Kistler. Morgan (PA): Soli Deo Gloria, 2002, p. 396.

[41] Spurgeon, "Means for Restoring the Banished," Vol. 16, Sermão 950, p. 645.

[42] Charles Spurgeon, "The Garden of the Soul", MTP, Vol. 12, Sermão 693 (Ages Digital Library, 1998), p. 370.

depressão. Sobre esse ponto, Charles nos lembra da teologia cristã básica: "o homem é um ser duplo, composto de corpo e de alma, e cada uma das porções do homem pode receber feridas e dor."[43]

2. *A depressão não é pecado.* Embora por causa dela os pecados possam acontecer e as tentações se intensificar, a depressão em si não é um pecado. "Podemos ficar deprimidos no espírito; talvez fiquemos nervosos, amedrontados, tímidos; podemos até mesmo chegar aos limites do desespero", e mesmo assim "separados do pecado."[44]. Às vezes o que prenuncia o senso da ausência de Deus em nossa vida não é nosso coração duro, mas um trapaceiro psicológico.

3. *A depressão não é unicamente para nós.* Depois de citar exemplos históricos, como os de Martinho Lutero, Isaac Newton e William Cowper, e bíblicos, como o de Jó, Davi, Elias e nosso Senhor Jesus Cristo, Charles inevitavelmente dirá: "Você não é o primeiro filho de Deus a ficar deprimido ou atribulado". Até "entre os mais nobres dos homens e mulheres que já viveram, houve muito desse tipo de coisa (...) portanto não pense que você está totalmente sozinho em sua aflição.". Embora você possa "ir para a cama nas trevas", você "acordará na eterna luz do dia".[45]

---

[43] Charles Spurgeon, "Healing for the Wounded," NPSP, Vol. 1, Sermão 53, The Spurgeon Archive (http://www.spurgeon.org/sermons/0053.htm), acessado em 13/12/13.

[44] Charles Spurgeon, "Our Youth Renewed," MTP, Vol. 60, Sermão 3417 (Ages Digital Library, 1998), p. 462.

[45] Charles Spurgeon, "The Cause and Cure of a Wounded Spirit," MTP, Vol. 42, Sermão 2494 (Ages Digital Library, 1998), pp. 791-792.

A GRAÇA ALIVIA, MAS NEM SEMPRE CURA A DEPRESSÃO

Mas seguir a Jesus não deveria mudar tudo isso? Jesus não deveria curar nossas doenças? Muitos de nós sentimos que, se fôssemos mais fiéis a Jesus não teríamos de lutar dessa maneira. Outros até nos dizem que nossa salvação em Jesus está ameaçada e a colocam em questão.

Mas assim como um homem com asma ou uma mulher que nasceu muda provavelmente permanecerão dessa forma, embora amem Jesus, de igual maneira nosso transtorno mental e nossa inclinação à melancolia frequentemente continuam conosco também. A conversão a Jesus não é o céu, e sim a sua antecipação. Deste lado do paraíso, a graça nos assegura, contudo não nos cura em definitivo. "Existem traços de fraqueza na criatura que até mesmo a graça não apaga."[46]. Embora a cura substancial possa vir, Charles nos lembra que, usualmente, ela espera o paraíso para completar sua obra plena.

> Não professamos que a crença em Jesus Cristo mudará tão completamente um homem, levando dele todas as suas tendências naturais. Isso garantiria ao que se desespera algo que lhe aliviaria o desânimo. Porém, quanto ao que é causado por um baixo estado do corpo ou de uma mente doente, não professamos que a crença em Jesus

---

[46] Charles Spurgeon, "Faintness and Refreshing," MTP, Vol. 54, Sermão 3110 (Ages Digital Library, 98), p. 590.

> vai removê-lo totalmente. Em vez disso, vemos todos os dias que entre os melhores servos de Deus há aqueles que estão sempre duvidando, olhando para o lado sombrio de cada providência, para a ameaça mais do que para a promessa, e que estão prontos para escrever coisas amargas contra si mesmos (...)[47]

Portanto, nós cristãos que sofremos de depressão podemos ficar terrivelmente fracos, mesmo na fé. Todavia, não estamos perdidos para Deus. Ao contrário daqueles que nos dizem que não temos fé suficiente ou que estamos condenados por causa da nossa incapacidade de sorrir mais, a "depressão do espírito não é um índice de declínio da graça".[48] É Cristo e não a ausência de depressão que nos salva. Declaramos essa verdade. Nossa sensação da ausência de Deus não significa que ele esteja ausente. Embora o nosso sofrimento corporal não nos permita sentir seu toque suave, ele nos segura firme. Nossos sentimentos em relação a ele não nos salvam. Ele sim.

Por isso nossa esperança não reside em nossa capacidade de preservar um bom humor, mas em sua capacidade de nos sustentar. Jesus nunca nos abandonará com nosso coração abatido. Conforte-se no modo como Charles coloca isso:

> Talvez você não esteja bem, ou talvez tenha de-

---

[47] Charles Spurgeon, "Weak Hands and Feeble Knees," NPSP, Vol. 5, Sermão 243, The Spurgeon Archive (http://www.spurgeon.org/sermons/0243.htm), acessado em 13/12/13.

[48] Charles Spurgeon, "Sweet Stimulants for the Fainting Soul," MTP, Vol. 48, Sermão 2798 (Ages Digital Library, 1998), p. 575.

senvolvido uma doença que desgastou intensamente seu sistema nervoso e você esteja deprimido e por isso acha que a graça o está deixando. Mas ela não está. Sua vida espiritual não depende da natureza. Se assim fosse, ela poderia expirar. Ela depende da graça e a graça nunca cessará de brilhar até que o ilumine para a glória.[49]

Embora toda nuvem escureça com a formação da tempestade, sabemos que o sol ainda brilha. Nós que já voamos de avião podemos atestar essa verdade.

Também sabemos que embora nos sacudamos e nos viremos em um sono inquieto e doentio, nosso amado segura nossa mão e enxuga o suor de nossa cabeça nas profundezas da noite, mesmo que não tenhamos consciência disso. Assim é com Deus. Enquanto nossos corpos podem, às vezes, fazer com que os nossos humores naufraguem e lançar dúvidas sobre nossa fé, mesmo que não saibamos, ele nos mantém seguros enquanto nossa crise se faz violenta.

Lembre-se, a depressão é um "infortúnio, não uma falta", como recorda Charles na citação de abertura deste capítulo. Um tipo de luta que não assegura nossa condenação.

O que isso significa? Em contraste com aqueles que iriam lhe dizer para ser mais forte e suplicar suas forças junto a Deus, Charles nos diz: "deixe sua fraqueza suplicar a Deus

---

49 Charles Spurgeon, "Smoking Flax," MTP, Vol. 31, Sermão 1831 (Ages Digital Library, 1998), p. 224.

em Jesus Cristo".[50] Suas misericórdias são grandes o bastante, profundas o bastante, largas o bastante, altas o bastante para mantê-lo seguro no que você não consegue. A graça de que você precisa aumenta com a ocasião (Hb 4.12). Sua esperança não é sua saúde, mas a capacidade dele deve ser a força de que você precisa.

DEUS NÃO RI DE NOSSA DEPRESSÃO

Ao passo que concluo esse capítulo, admito que comecei a falar de Deus explicitamente. Muitos de nós podem achar muito duro de aceitar isso. O assunto "Deus" não nos foi gentil e nossas misérias foram reais de mais para pessoas religiosas más e banais solucionarem. Você está certo sobre isso e espero que cada capítulo daqui por diante se mostre útil enquanto se refere à sua depressão e a Deus.

Por ora, entretanto, pode lhe interessar saber que Charles, em sua depressão, de alguma forma viu Deus como compassivo para com ele e para com todos nós que sofremos dessa maneira, distinguindo o próprio Deus daqueles que dele zombaram:

> Alguns de vocês podem estar em grande agonia de espírito, uma angústia de que nenhuma criatura companheira pode lhes libertar. Vocês são pobres pessoas nervosas das quais os outros

---

50 Charles Spurgeon, "The Frail Leaf," MTP, Vol. 57, Sermão 3269 (Ages Digital Library, 1998), p. 595.

frequentemente riem. Posso lhes assegurar que Deus jamais rirá de vocês. Ele sabe tudo sobre essa sua triste queixa. Então os encorajo a irem até ele, pois a experiência de muitos de nós nos ensinou que "o Senhor é gracioso e cheio de compaixão."[51]

---

51 Charles Spurgeon, "Remembering God's Works," MTP, Vol. 49, Sermão 2849 (Ages Digital Library, 1998), p. 591.

Capítulo 4

DEPRESSÃO ESPIRITUAL

As aflições espirituais são as piores dentre as misérias mentais[52]

Em seu poema "O Náufrago" (*The Castaway*), William Cowper escreve sobre um homem, vítima de naufrágio, que morre no mar. Aproximando-se do final do poema, ele nos revela porque meditava sobre o homem que afundou sob as ondas:

> Mas o tormento ainda se deleita em traçar
> Sua semelhança no caso de outro.

Após nos dizer isso, que o atormentado encontra conforto nas histórias compartilhadas de outros miseráveis, Cowper usa o homem que afundou no mar como metáfora para descrever sua própria depressão:

---

[52] Charles Spurgeon, "Lama Sabachthani?" MTP, Vol. 36, Sermão 2133 (Ages Digital Library, 1998), p. 168.

A DEPRESSÃO DE SPURGEON

> Nenhuma voz divina a tempestade dissipou,
> Nenhuma luz benevolente brilhou,
> Quando arrancados de toda a ajuda eficaz,
> Perecemos, cada um sozinho:
> Mas eu debaixo de um mar mais áspero,
> E submerso em abismos mais profundos do que ele.[53]

Cowper descreve a si mesmo como abandonado por Deus. Nenhuma ajuda vem, apenas as profundezas esmagadoras. No entanto, o mesmo homem que escreveu esse poema também escreveu hinos de fé que até hoje abençoam congregações cristãs:

> Vós santos temerosos, renovada coragem tomai
> As nuvens que tanto temeis
> São grandes em misericórdia e serão distribuídas
> Em bênçãos sobre a vossa cabeça.

> Não julgueis o Senhor com o sentido fraco,
> Mas confiai nele por sua graça
> Por trás de uma providência carrancuda
> Ele esconde uma face sorridente.[54]

MELANCOLIA RELIGIOSA

Na geração de Charles, o *Manual de Medicina Psicológica* identificou o que ele chamou de "melancolia religiosa". Muitas vezes

---

53 William Cowper, "The Castaway," (http://www.poets.org/poetsorg/poem/castaway), acessado em 5/5/14.
54 William Cowper, "God Moves in a Mysterious Way," *Olney Hymns* (http://www.cyberhymnal.org/bio/c/o/w/cowper_w.htm), acessado em 5/5/14

associada à insanidade ou demência, essa forma de depressão aflige pessoas, a qualquer momento, com terrores conscientes e irreversíveis acerca do desagrado de Deus. Ou ainda, aqueles que, sofrendo desse tipo de depressão, usam atos extremos de devoção religiosa a ponto de machucarem a si próprios e a outros. Cowper frequentemente vivenciava o primeiro caso, suportando o pensamento infernal de que o Deus que ele amava tinha graça para outros, mas não para ele.

O *Manual* cita como pregadores tão bem intencionados, porém equivocados, contribuem para a agonia espiritual da depressão:

> É desnecessário dizer que o cristianismo sem distorção, e pregado nas suas justas proporções, é calculado para prevenir, não causar insanidade. A causa eliciadora da melancolia religiosa é, por vezes, atribuída a denúncias inflamadas de bem-intencionados pregadores, embora imprudentes.[55]

Às vezes pregadores e oradores cristãos se esquecem que aqueles que os ouvem lutam com várias doenças circunstanciais, biológicas e muitas outras provações. Eles esquecem o cuidado que um pastor deveria prover se um membro do re-

---

55 John Charles Bucknill e Daniel Hack Tuke, *A Manual of Psychological Medicine* (Londres, 1858), p. 179. (https://archive.org/stream/manualofpsycholo00buckrich#page/178/mode/2up). *Nota do revisor*: A obra, cuja publicação foi coordenada por John Charles Bucknill, tem o seguinte subtítulo: "Contendo o Histórico, a Nosologia, Descrição, Estatística, Diagnóstico, Patologia e o Tratamento da Insanidade, com um apêndice de Casos".

banho sofresse essas formas de aflição. Para Cowper, o dom estimado e gentil de pastor lhe foi dado. John Newton, autor de *Preciosa Graça (Amazing Grace)*, foi seu pastor e amigo.

Hoje, sentimentos similares a esses podem permanecer. A religião oferece ambos, um desafio e uma ajuda àqueles que sofrem de transtornos mentais. Esse desafio emerge quando pregadores presumem que a depressão é sempre e somente um pecado. Derramam gasolina no fogo e se perguntam por que aqueles a quem tentam ajudar se enfurecem ao invés de se acalmarem. Ao mesmo tempo, atualmente os estudos confirmam que aqueles com desafios na saúde mental simplesmente ficam bem melhores se fazem parte de uma comunidade religiosa.[56]

Neste cabo de guerra entre Deus e a depressão, Charles reconheceu uma realidade espiritual para ela. Sentia que a depressão em si tem contribuintes e desafios circunstanciais, biológicos e espirituais. Mas ele também acreditava que o lado espiritual das situações poderia originar seu próprio tipo de depressão. Em outras palavras, alguém com depressão biológica terá realidades espirituais para enfrentar. Contudo, uma pessoa pode sofrer de depressão espiritual, mesmo que não tenha tido depressão circunstancial ou biológica para compartilhar.

A famosa alegoria de John Bunyan, *O Peregrino*, deu uma linguagem a Charles enquanto tentava ajudar àqueles que sofriam (assim como descreveu o que também poderia pes-

---

[56] Lauren Cahoon, "Will God Get You Out of Your Depression?" (ABC News, March 19, 2008) http://abcnews.go.com/Health/MindMoodNews/story?id=4454786, acessado em 4/5/14.

soalmente assolá-lo). Na história de Bunyan, o personagem principal, chamado Cristão, cai no Pântano do Desânimo, sendo posteriormente capturado pelo Gigante Desespero e em seguida espancado impiedosamente no Castelo da Dúvida. O desânimo, o desespero e a dúvida se unem para criar angústias espirituais em nossas vidas.

OS SINTOMAS DA DEPRESSÃO ESPIRITUAL

O que é essa melancolia espiritual? Na sua essência, a depressão espiritual diz respeito às deserções de Deus, reais ou imaginárias. Sentimos, em nossa percepção, que ele está irado conosco, que fizemos alguma coisa para perder seu amor, ou que ele lidou conosco como um brinquedo e nos deixou de lado sem nenhum motivo. De qualquer forma, ele existe para os outros, mas não para nós. Ele nos pune com um tratamento silencioso. Ele ri de nossa dor quando cochicha com os outros a nosso respeito.

A ironia da deserção é que a ausência de Deus parece esmagadoramente perto de nós. Observamos o vazio no rosto. De acordo com Charles, quando uma pessoa sabe que Deus está com ela, ela "pode suportar grande depressão do espírito.". "Mas se nós cremos que Deus nos abandonou em nossas misérias e dificuldades, há um tormento dentro de nosso peito que posso somente assemelhar", diz Charles, "ao prelúdio do inferno". As pessoas podem "suportar um corpo sangrando, e até mesmo um espírito ferido, mas uma alma consciente da deserção de Deus encontra-se para lá de uma concepção insuportável".[57]

Vários sentimentos horríveis surgem da deserção. Para começar, podemos ampliar cada fraqueza, limite, pecado e imperfeição dentro de nós. Duvidamos terrivelmente se "somos mesmo cristãos", e nos tornamos "atormentados com o medo" de que sejamos "impostores vivendo vidas falsas".[58]

Podemos ficar obcecados e "dolorosamente angustiados com questões" às quais não conseguimos responder, com "enigmas" que não conseguimos resolver e com nós de dificuldades que não conseguimos desatar. Partimos para o tudo ou nada. Porque não sabemos *tudo* acreditamos que não conseguimos saber *nada*. Rejeitamos consolo.

Talvez vejamos a própria Bíblia em extremos. Ela se torna, tanto um livro de chicotes, com satisfação em nos atacar com cada palavra em nossa desgraça iminente, ou, ao contrário, uma palavra seca, desinteressante, irrelevante para nós. Se a Bíblia nos açoita e condena com alegria, contorcemo-nos e gememos para o Deus ausente nos libertar. Se as Escrituras se secaram, tornamo-nos entorpecidos e indiferentes. Terrível apatia se estabelece. "Queremos sentir, mas não conseguimos sentir".[59]

A "insônia espiritual" pode nos abalar e nos transformar. Agitados, lutamos, agonizamos, ficamos inquietos e nos preocupamos. Damos nosso melhor, nunca capazes de fazer

---

57 Charles Spurgeon, "Lama Sabachthani?," MTP, Vol. 36, Sermão 2133 (Ages Digital Library, 1998), p. 168.
58 Charles Spurgeon, "A Call to the Depressed," MTP, Vol. 60, Sermão 3422 (Ages Digital Library, 1998), p. 536.
59 ibid.

o suficiente, conscientes apenas de que nossos resultados são muito pequenos e que Deus continua constantemente desagradado. Nunca estamos à altura e passamos nossos dias aflitos e ansiosos de que Deus vá embora balançando a cabeça em reprovação para nós a menos que façamos tudo certo ou suficientemente bem.[60]

Eventualmente nos desgastamos ou esgotamos. "O gozo do serviço se evapora, o mau humor que reduz a percepção dos detalhes estraga tudo, e o trabalhador se torna um mero burro de carga e lavador de pratos."[61]. Esses afastamentos imaginários de Deus feitos por nós podem torturar a mente.

Você já vivenciou isso alguma vez?

Entretanto, o mais terrível desses sintomas espirituais Charles chama de "peso de espírito". Em oposição ao que acabei de descrever, esse tipo de distanciamento de Deus é real e não imaginário. Vemos o verdadeiro horror de nosso pecado, nos sentimos merecedores de julgamento legítimo e para além de toda esperança ou merecimento de perdão. Mas não vemos nenhum remédio ou esperança de recuperação.

A partir de sua própria experiência, Charles nos ensina que, se tivéssemos sofrido "meia hora" desse tipo de convicção verdadeira do pecado real, teríamos mais compaixão daqueles que sofrem desta forma. "Ser empalado sobre seus próprios pecados, ridicularizado pela sua própria consciência, alvejado

---

[60] Charles Spurgeon, "Faint, But Not Fainthearted," MTP, Vol. 40, Sermão 2343 (Ages Digital Library, 1998), p. 20.
[61] Charles Spurgeon, "Martha and Mary," MTP, Vol. 16, Sermão 927 (Ages Digital Library, 1998), p. 297.

pelo seu próprio julgamento como por setas dentadas — isto é angústia e tormento". "Próximo ao tormento do inferno", a amargura do verdadeiro remorso e desespero revela o pior de nossas aflições — pior até mesmo que a própria morte.[62]

Em todos esses sintomas menosprezamos nossa esperança. Nós nos imaginamos sem nenhum remédio para o perdão ou reconciliação, como se Deus não tivesse amado o mundo e oferecido o seu próprio filho.

Para piorar as coisas, os outros comumente pensam que estamos "passando da conta" e "muito frequentemente condenam e até mesmo ridicularizam aquele que está triste de alma".[63] Assim, não somente nos sentimos abandonados por Deus, como também nos sentimos envergonhados e abandonados por aqueles que falam de Deus. Sofremos, portanto, um duplo sentimento de abandono e não sentimos nenhuma esperança de cura. Sem Salvador para o pecado, e sem nenhuma compaixão para os aflitos — racionalizamos em torturas.

A VULNERABILIDADE ESPIRITUAL DA MELANCOLIA

Neste ponto, queremos lembrar que sofrer uma forma de depressão torna difícil de suportar a chegada de novas formas. Por exemplo, se alguém não gosta de nós, essa rejeição parece maior "em momentos de depressão". O que teria nos incomo-

---

62 ibid.
63 Charles Spurgeon, "The Garment of Praise," MTP, Vol. 59, Sermão 3349 (Ages Digital Library, 1998), p. 226.

dado por um dia agora se transforma em desejo de ficar longe das pessoas.[64]

Da mesma forma, se alguém já luta contra a depressão circunstancial ou biológica, fica mais vulnerável às aflições espirituais.[65] É difícil o bastante passar o dia sem adicionar o desprazer de Deus ao trauma que já nos abate.

Como exemplo, Charles nos diz pessoalmente como sua luta em curso com as dúvidas se torna mais difícil com a depressão. É muito difícil ficar em pé dia após dia e dizer "não, eu não posso duvidar do meu Deus", quando já somos afligidos por aquela "punhalada perpétua, cortante e invasiva" em nossa fé. Não é tão fácil de suportar."[66]

Duas ajudas vêm à mente aqui:

1. *Lembre-se de considerar o contexto de vida da pessoa*. Vá devagar com seu julgamento. "Quando você vê homens fracos, não os culpe. Talvez, por suas fraquezas, eles tenham provado do que são feitos. Eles têm feito tanto quanto a carne e o sangue podem fazer e, portanto, eles estão fracos".[67] Quem é que sabe que multiplicadas aflições eles suportaram?
2. *Lembre-se que requereu-se mais fé de alguns para se fa-*

---

64 Spurgeon, *Autobiography*, Capítulo 32, p. 400.
65 Charles Spurgeon, "Hope in Hopeless Cases," MTP, Vol. 14, Sermão 821 (Ages Digital Library, 1998), p. 492.
66 Charles Spurgeon, "The Roaring Lion," MTP, Vol. 7, Sermão 419 (Ages Digital Library, 1998), p. 1040.
67 Spurgeon, "Faint; But Not Fainthearted," p. 19.

zer menos do que você. Algumas pessoas "não precisam temer o Pântano do Desânimo, pois carregam um pântano dentro de seus próprios corações, e nunca saem dele, ou ele delas nunca sai." Há "muito o que admirar" na perseverança desses entes queridos e no Salvador que cuida deles. Nossos corações precisam de compaixão. "Trêmulos companheiros peregrinos, nós tocaríamos a harpa para vocês, para que, se possível, vocês pudessem esquecer seus medos por algum tempo, e caso não consigam se elevar acima de suas tristezas, ainda possam, pelo menos por ora, tomar sobre si mesmos as asas das águias e voar acima das névoas da dúvida."[68]

Agora vamos observar um fator mais importante que contribui para a depressão em geral e para a depressão espiritual, em particular. Charles acreditava em um diabo real. Essa criatura não origina ou causa depressão. Porém, como um leão atraído pela zebra enfraquecida em meio ao rebanho, essa criatura do mal tem um prazer peculiar em devorar aqueles que são fracos, doentes ou debilitados.

Em outras palavras, "o grande inimigo faz um ataque planejado às almas ansiosas".[69] Ele se deleita em tomar aflições e extrair ainda mais delas. Tal qual o Gigante Desespero, Sa-

---

[68] Charles Spurgeon, "The Sweet Harp of Consolation," MTP, Vol. 13, Sermão 760 (Ages Digital Library, 1998), p. 476.
[69] Charles Spurgeon, "Loving Advice for Anxious Seekers," MTP, Vol. 13, Sermão 735 (Ages Digital Library, 1998), p. 107.

tanás, se puder destruir completamente sua vítima antes do libertador chegar[70], por qualquer meio "açoita seu pobre escravo com excessiva maldade". Acusação, condenação e sussurros cruéis se amontoam sobre o já ofegante sofredor. Se não formos cuidadosos, imitamos esse cruel acusador em nossas tentativas de ajudar a despertar nós mesmos ou nossos amigos depressivos.

Porque quando a depressão nos assalta, assim como Cowper, dizemos a nós mesmos que não somos verdadeiros filhos de Deus. Não temos esperança alguma, nossos pecados nos descobriram, nossas questões são demasiadamente numerosas, nosso futuro está condenado, nosso presente é merecedor somente de apatia e nosso perdão impossível. Essa antiga criatura do mal sorri e diz, "Sim, sim, você está certo. Oh, mas é pior do que você pensou. Está tudo perdido. Você está abandonado e tem razão. Você está perdido. Fique abaixado. Você está fora de alcance. É tarde demais para você, pecador! Eles ficarão melhores sem você. Você merece morrer."

NÃO ALIMENTE ESSA AGITAÇÃO DA ALMA[71]

É aqui, quando se lida com a depressão espiritual, que Charles muda bruscamente sua abordagem, geralmente suave, como cuidador e como aquele que sofre. Muitas dores circunstanciais, biológicas e espirituais duram mais do que nossa

---

70 Spurgeon, "Hope in Hopeless Cases," p. 492.
71 Charles Spurgeon, "New Uses for Old Trophies," MTP, Vol. 17, Sermão 972 (Ages Digital Library, 1998), p. 73.

capacidade de controlá-las ou entendê-las. Contudo, quando nos deparamos com este antigo inimigo, o diabo, resta apenas uma coisa que podemos e devemos fazer: "lutar!".

> A alma está quebrada em pedaços, perfurada, picada com facas, dissolvida, aflita, em pânico. Não se sabe como existir quando se dá lugar ao medo. Levante-se, cristão! Você está com um semblante tristonho. Levante e persiga seus medos. Por que você ficaria sempre gemendo em sua masmorra? Por que o Gigante Desespero deveria sempre vencê-lo com seu enorme porrete de macieira brava? Levante-se! Faça-o ir embora![72]

Como? Na essência usamos a frase: "você pode estar certo, exceto para Jesus."

- Você pode estar certo, as coisas estão piores do que eu pensava, exceto para Jesus!
- Você pode estar certo, tudo está perdido, exceto para Jesus!
- Você pode estar certo, estou abandonado, exceto para Jesus!
- Você pode estar certo, estou perdido, exceto para Jesus!
- Você pode estar certo, eu deveria ficar para baixo, exceto para Jesus!

---

[72] Charles Spurgeon, "Fear Not," NPSP, Vol. 3, Sermão 156 (Ages Digital Library, 1998), p. 651.

- Você pode estar certo, seria tarde demais, exceto para Jesus!
- Você pode estar certo, estou fora de alcance, exceto para Jesus!
- Você pode estar certo, sou um pecador, exceto para Jesus!
- Você pode estar certo, eles podem estar melhores sem mim, exceto para Jesus!
- Você pode estar certo, eu poderia merecer morrer, exceto para Jesus!

Não suplicamos a nós mesmos, mas às promessas de Jesus; não às nossas forças, mas às dele; às nossas fraquezas sim, mas às suas misericórdias. Nosso jeito de lutar é nos escondermos atrás de Jesus que luta por nós. Nossa esperança não é a ausência de nosso pesar, ou sofrimento, ou dúvida, ou lamento, mas a presença de Jesus. "O Castelo da Dúvida pode ser muito forte, mas aquele que vem lutar com o Gigante Desespero é ainda mais forte!"[73].

Ao suplicar por Jesus, abraçamos o que Charles chamou de "uma espécie abençoada de desespero", que é a obra do próprio Deus em nosso favor.

> — um desespero de autossalvação, um desespero de lavar seu próprio pecado, desespero de não

---

[73] Charles Spurgeon, "Christ Looseth From Infirmities," MTP, Vol. 56, Sermão 3195 (Ages Digital Library, 1998), p. 282.

se obter mérito algum por si mesmo e pelo qual você pode se tornar aceitável aos olhos de Deus (...) isso é um tipo abençoado de desespero, mas em relação a qualquer outro tipo de desespero (...) não posso dizer nada que seja bom.[74]

Assim como William Cowper encontrou um dom da graça em seu pastor e amigo, John Newton, assim também precisamos de tais dons. Se nos sentimos banidos por Deus por causa do pecado ou do desânimo, de um jeito ou de outro "graciosamente nosso Pai celestial envia para seus aflitos" não apenas a si mesmo, mas também "as palavras de bom ânimo de pessoas que passaram por experiências semelhantes".[75]

TRÊS PALAVRAS DURAS DE SPURGEON

Devido à gravidade do sofrimento causado pela depressão espiritual, Charles se torna um forte defensor e um duro cuidador em três circunstâncias.

A Primeira: Charles defende os sofredores sendo duro com os pregadores (incluindo ele próprio) que dizem aos pobres desesperados que Jesus não virá para eles a menos que sofram o bastante ou melhorem a si mesmos suficientemente para serem dignos. Crítico de si mesmo, de John Bunyan,[76] e de outros pre-

---

74 Charles Spurgeon, "A Discourse for the Despairing," MTP, Sermão 2379 (http://www.spurgeongems.org/vols40-42/chs2379.pdf), acessado em 19/3/14.
75 Charles Spurgeon, "Means for Restoring the Banished," MTP, Vol. 16, Sermão 950 (Ages Digital Library, 998), p. 645.
76 Em múltiplos sermões, Spurgeon corrige o que ele acredita ser um erro de John Bunyan, ao *requerer* que o cristão passe por um Pântano de Desânimo antes que possa alcançar a Porta

gadores, Charles fala com clareza: "se, quando eu era um jovem, tivesse ouvido o evangelho que Cristo pregou tão claramente quanto tenho pregado a vocês, tenho certeza de que nunca teria estado no pântano tanto tempo quanto estive."[77]. Por essa razão, em seus sermões, Charles aponta regularmente aos sofredores nos Castelos de Dúvida e Pântanos de Desânimo para um encontro imediato com a graça do Jesus Vivo.[78]

Segunda: Charles defende os sofredores, sendo duro com a melancolia intencionalmente escolhida de religiosos que se assombram de propósito com a temerosa noção de que alguém, em algum lugar, possa estar feliz.[79] Tais pessoas carregam isso consigo para calar a alegria das pessoas em nome de Deus. Esse tipo de religião faz paródia da dor sofrida com a depressão profunda e as aflições. Também bloqueia cruelmente sofredores carentes dos sorrisos de alívio de um Deus de graça, por falsamente condenar, como profano ou injusto, qualquer brilho ou alegria.

Terceira: Charles em *raras ocasiões* arriscará ofender o sofredor de outros tipos de depressão a fim de alcançar o doente espiritual que se recusa a lutar. Em vista disso, advirto qualquer um, antes de ler o sermão "um Chamado para o Deprimido", a

---

Estreita. Veja: "Prompt Obedience," MTP, Vol. 58, Sermão 3310 (Ages Digital Library, 1998), p. 414.

77 Charles Spurgeon, "The Free Agency of Christ," MTP, Vol. 48, Sermão 2761 (Ages Digital Library, 1998).

78 Veja por exemplo Charles Spurgeon, "The Believer Sinking in the Mire," MTP, Vol. 11, Sermão 631 (Ages Digital Library, 1998), 360; "Prisoners of Hope," MTP, Vol. 49, Sermão 2839 (Ages Digital Library, 1998), 431; "Soul Satisfaction," MTP, Vol. 55, Sermão 3137 (Ages Digital Library, 1998), p. 192.

79 Shenk, *Lincoln's Melancholy*, p. 87.

reconhecer esse motivo particular e ponderarem sobre isto. De outra maneira, o tom e as palavras de Charles provavelmente vão se revelar ásperos e inúteis.

Charles compara esse sermão particular a uma cirurgia grave em um momento terrível. Parece também reconhecer a fronteira na qual caminha com esse sermão. "Talvez você possa pensar que isto está mais dificultando do que ajudando", admite no meio do caminho, "e tende mais a deprimi-lo do que a libertá-lo."[80]. Todavia continua com a linguagem que não é sua norma: "eu diria qualquer coisa, por mais afiada que pudesse ser, mas que o despertasse de sua letargia.".

Entretanto, enquanto o sermão continua, sentindo e talvez lamentando a nitidez de seu tom, ele começa a recuar: "parece-me que há uma maneira melhor do que essa", diz. Então, no último quarto do sermão, recupera sua esperança corriqueira no evangelho e começa a falar sobre seu próprio sofrimento como uma experiência compartilhada sobre a necessidade da graça. Conclui lembrando àqueles que ouvem: tendo já experiência e "percorrido tal deserto de lamentações"[81]: "cuidado com aqueles que estão na mesma condição em que você tem estado e seja muito afetuoso com eles assim que souber de seus casos".

Talvez nesse sermão, vejamos em Charles o ser humano tentando imperfeitamente administrar o auxílio para aflições que não são facilmente diagnosticadas. Em suas tentativas sérias e frágeis para ajudar, vemos a nós mesmos.

---

80   Charles Spurgeon, "A Call to the Depressed," MTP, Vol. 60, Sermão 3422 (Ages Digital Library, 1998), p. 540.
81   ibid., p. 542.

E AGORA?

Em nossa conversa juntos, o que aprendemos até agora é isso: se "escolas do pensamento científico e espiritual" são ambas tentadas a tratar a depressão se apegando "a uma explicação em detrimento de outra",[82] Charles nos convida a resistir a tal tentação.

O pastor, conselheiro religioso, ou amigo, deve aprender a dar conta das realidades médicas, psicológicas e comportamentais da depressão. Por outro lado, o cuidador, seja ele médico, terapêutico, psicológico ou comportamental não deve descartar a contribuição de realidades espirituais para a depressão circunstancial e biológica.

Podemos resumir essas categorias em circunstanciais, químicas e espirituais. Cada uma delas nos ajuda a começar a compreender a depressão e seus tipos. O poeta que sofreu de depressão nos dá um hino e sua oração pode se tornar a nossa própria:

> Cura-nos, Emanuel, aqui estamos
> Nós esperamos sentir o teu toque,
> Almas profundamente feridas para teu reparo,
> E Salvador, tais somos nós...
>
> Lembra-te daquele que uma vez suplicou
> Com tremor por alívio.

---

82 Richard Winter, *Roots of Sorrow: Reflections on Depression and Hope* (Eugene, Oregon: Wipf & Stock Publishers, 2000), p. 34.

A DEPRESSÃO DE SPURGEON

"Senhor, eu creio," com lágrimas ele chorou,
"Oh ajuda-me em minha incredulidade!"

Daquela que, também, tocou-te na urgência
E que a virtude de cura obteve furtivamente,
A quem respondeste: "Filha, vá em paz,
A tua fé te salvou."

Como ela, com esperanças e medos nós viemos
Para tocar-te se pudermos.
Oh não envie-nos para casa em desespero;
Não despeça ninguém sem curar.[83]

---

83 William Cowper, "Heal Us, Emmanuel," *Olney Hymns* (http://www.cyberhymnal.org/htm/h/e/healusem.htm), acessado em 5/5/14.

PARTE DOIS

APRENDENDO A AJUDAR OS QUE SOFREM DE DEPRESSÃO

Capítulo 5

DIAGNÓSTICO NÃO CURA

"De forma especial, não julgue os filhos e filhas da aflição. Não permita incriminações mesquinhas acerca dos aflitos, pobres e desanimados. Não se apresse em dizer que eles devem ser mais valentes e exibir uma fé maior. Não pergunte 'por que estão tão exasperados e absurdamente temerosos?'. Não... eu lhe imploro, lembre-se de que você não entende o seu semelhante."[84]

Algumas situações nunca superamos. Nós as atravessamos, as atropelamos, mas nunca as superamos.

Vinte e cinco anos após a brincadeira fatal, quando alguém gritou "fogo!" e muitos morreram, Charles estava prestes a se dirigir a uma grande plateia durante uma série de reuniões da União Batista. Agora ele estava mais velho, um homem de meia-idade, um pastor experiente e bem conhecido. Todos os assentos estavam ocupados e centenas ainda procuravam entrar. Charles caminhou sobre a plataforma e, "reclinando a cabeça sobre a mão", se viu "completamente desorientado". Por quê?

---

84 Charles Spurgeon, "Man Unknown to Man," MTP, Vol. 34, Sermão 2079 (http://www.spurgeongems.org/vols34-36/chs2079.pdf), acessado em 14/12/13.

A circunstância lhe fez lembrar, de uma forma tão vívida, a cena terrível no *Surrey Music Hall*, que ele se sentiu incapaz de pregar. Contudo, ele pregou. Na verdade, pregou bem, embora não houvesse conseguido se recuperar completamente da inquietação em seu sistema nervoso.[85]

Charles viveu aquilo que hoje talvez chamaríamos de um *"flashback"*. Um momento na história, perfeitamente inofensivo, que dispara memórias de um momento anterior repleto de danos. Este se parece com aquele e dispara uma resposta traumática em nossos corpos e mentes. Até a habilidade graciosa de pregar bem não se "recuperou completamente da inquietação em seu sistema nervoso". Vinte e cinco anos haviam se passado e Charles ainda sofria, no presente, o que lhe traumatizara no passado. Vinte e cinco anos...

Diagnosticar nossa depressão circunstancial, biológica e espiritual oferece ajuda, mas não põe fim em nosso desafio.

SUSPEIÇÕES MESQUINHAS AINDA PERSISTEM

Por causa da lentidão ou ausência de cura, os que sofrem de depressão deverão suportar diariamente vozes de condenação. Afinal de contas, "você já não deveria ter superado isso a essa altura?".

A condenação provém daquilo que Charles chama "suspeições mesquinhas", e que muitos nutrem em relação àqueles que estão em depressão. Aos olhos de muitas pessoas, incluindo cristãos, depressão significa covardia,

---

[85] Spurgeon, *Autobiography*, Capítulo 50, p. 234.

falta de fé, ou simplesmente falta de atitude. Tais pessoas dizem a Deus em oração, e pessoalmente a seus amigos, que o sofredor de depressão provavelmente está fingindo, é fraco ou não é espiritual. Em nossa frente, eles nos instruem a aumentar nossa coragem, nos envergonham ao nos fazer expor nossas mentiras ou citam a Bíblia para *chacoalhar* a nossa fé. Tentam argumentar conosco por meio da "lógica" para demonstrar e provar quão absurdos são nossos medos.

Ao escolherem essa postura, provam que não compreendem seu semelhante, homem ou mulher. Somente em momentos exasperados alguns deles finalmente admitem isso. Com toda a força, ou mesmo no sussurro de suas próprias lágrimas, gritam: "eu não compreendo você!"; "isto simplesmente não faz sentido algum!".

A falta de controle leva tais pessoas a recorrerem de forma apressada a essas ferramentas de incriminação, julgamento, condenação ou exortação espiritual mal orientada, na tentativa de reparar a situação. Todavia essas ferramentas simplesmente não funcionam com esse tipo de dor. Em vez disso, essas pessoas terão de aprender a usar uma ferramenta diferente. Caso contrário, apenas continuarão chutando o forno quebrado, esperando, em vão, suscitar o seu calor. Um pé dolorido e um amigo amassado são tudo o que tal birra produzirá como resultado.

O que, então, precisamos reparar em nosso entendimento? A história de Charles pode ajudar a nossa própria.

A DEPRESSÃO É UMA ESPÉCIE DE ARTRITE MENTAL

Conforme Charles pregou a respeito da depressão, muitas pessoas atribuladas começaram a lhe escrever. Ele se sentiu como "um médico que repentinamente lhe tivera confiada uma nova prática."[86]. Compartilhava o que aprendia a partir da experiência como cuidador e de sua própria experiência com a depressão.

De acordo com Charles, ditados desgastados e soluções rápidas não funcionam. A maior parte dos sofredores não pode simplesmente "ser dispensada somente com uma palavra ou uma dose de remédio, mas requer um tempo prolongado em que compartilharão suas lamúrias e no qual receberão conforto." Um "trabalho superficialmente fácil e uma palavra precipitada" não resolverão. Não importa quanta compaixão ofereçamos, isso não ajuda. Em resumo, a depressão nos lembra que "há um limite para o poder humano (...) somente Deus pode remover o ferro quando ele penetra nossa alma."[87].

Também temos de reconhecer nossas próprias vulnerabilidades enquanto cuidadores e sofredores. Falando de uma ocasião em que se deparou em um dia com "vários casos lúgubres de depressão", Charles começou a escorrer pelo ralo mental e emocionalmente. "O que devemos fazer nesses casos?", indagou ele. "Fugir desses momentos? Em hipótese alguma!". Mas a graça deve assegurar nossa esperança, de outra

---

86 Charles Spurgeon, "A Stanza of Deliverance," MTP, Vol. 38, Sermão 2241 (Ages Digital Library, 1998), p. 65.
87 Spurgeon, "A Stanza of Deliverance," p. 65.

forma, nós também "em breve vamos sentir que o Sol se foi."[88]. Ambos, o sofredor e aquele que está tentando ajudar podem ficar sobrecarregados com sentimentos de todo infrutíferos e por isso até mesmo sofrer de culpa ou vergonha.

Talvez nada na vida nos lembre mais de que não somos Deus e que esta terra não é o paraíso, do que uma angústia indescritível, que às vezes desafia a própria causalidade e que não tem nenhuma cura imediata ou absoluta. Não há momento mais delicado, ou assento mais difícil para se sentar, do que aquele em que aguardamos o médico, quando este, depois de todos os exames solicitados sobre nossa carne fatigada e picada por agulhas, em revés nos admite: "simplesmente não sabemos.". Quanto maior é nosso infortúnio, então, quando a dor nos alveja de posições imprevistas dentro dos escombros bombardeados de nossa mente?

Com esse tipo de realismo, Charles colabora com "os mais sábios" auxiliadores, que não deixam de reconhecer "a dura verdade de que depressões graves não desaparecem da noite para o dia."[89] A depressão é melhor entendida enquanto "um tipo de artrite mental".[90] Diferente de outras aflições, ela nos infecta com uma paciência maligna. Frequentemente, nós que a sofremos não temos um resgate pronto ou imediato, próximo à costa de nossa ilha psíquica. Antes, devemos aprender as

---

88 Charles Spurgeon, "Fever and Its Cure," MTP, Vol. 36, Sermão 2174 (Ages Digital Library, 1998), p. 796.
89 William Styron, *Perto das Trevas* (Rio de Janeiro: Rocco, 2000).
90 David Karp, "An Unwelcome Career," em *Unholy Ghost: Writers on Depression*, ed., Nell Casey (New York: HarperCollins, 2001), p. 148.

habilidades da graça necessárias para lá sobreviver e, assim, ajustar nossas vidas para o que significa prosperar dentro de suas condições.

Não obstante, por que o diagnóstico não resolve essa questão? Ele ajuda àqueles que sofrem a conhecerem o que os está assombrando. Esse tipo de designação pode aliviá-los. Isso também ajuda os cuidadores e companheiros a compreenderem que algo real e árduo acontece ao seu amigo. Mas por que com tanta frequência sua designação não transcende para a cura? Talvez uma analogia possa nos ajudar a pensar. Um esposo e uma esposa podem designar sua necessidade de amor, porém todos nós sabemos que designá-la não resolve, apenas rotula a sua carência de tal experiência. Designar a depressão é a mesma coisa. Rotula-se, mas não se resolve. Por quê?

CAUSAS DESCONHECIDAS E PALAVRAS SIMPLISTAS

Primeiro de tudo, uma cura não vem facilmente, pois, por conta de todos os nossos diagnósticos, amiúde a verdadeira causa permanece oculta. "Há um tipo de escuridão mental", observa Charles, "em que você fica perturbado, perplexo, preocupado e incomodado — e talvez não sobre qualquer coisa tangível".[91]

Assim como o Rei Davi clamou para si mesmo: "Por que estás abatida, ó minha alma? Por que te perturbas dentro de mim?", da mesma forma nós também arguimos conosco ten-

---

91 Charles Spurgeon, "Night and Jesus Not There!" MTP, Vol. 51, Sermão 2945 (Ages Digital Library, 1998), p. 457.

tando descobrir a razão pela qual vemos e imaginamos notícias desagradáveis quando nenhuma delas de fato existe. "Você dificilmente pode dizer por que está tão depressivo", diz ele. "Se pudesse dar uma razão para o seu desânimo, mais facilmente poderia superá-lo."[92].

Em segundo lugar, a incapacidade de encontrar uma linguagem adequada também não ajuda. Em seu livro *Perto das Trevas*, William Styron observa que uma "aflição (muito) antiga" é frequentemente "indescritível".[93] O sofredor não consegue encontrar uma linguagem adequada e, congruentemente, o aspirante a auxiliador simplesmente não tem a capacidade de "imaginar uma forma de tormento tão alheia à experiência do dia a dia.".[94] Explicações nesse caso são como segurar um pequeno fósforo aceso, à noite, dentro de um sistema de cavernas subterrâneas. Quanto menor a luz, maior é a escuridão.

Em suma, nossas palavras têm limites. Diagnosticar o câncer nos permite usar a palavra "câncer" e relacioná-la em conformidade com as situações. No entanto, nomear algo não elimina ter de suportá-lo diariamente, nem obriga nossos amigos a terem que se relacionar conosco enquanto o fazemos.

> Qualquer um que já tenha *realmente* estado doente sabe que o nível de tolerância para a doença é baixo. Uma vez que as rosas de me-

---

[92] Charles Spurgeon, "Binding Up Broken Hearts," MTP, Vol. 54, Sermão 3104 (Ages Digital Library, 1998), p. 491.
[93] William Styron, *Perto das Trevas* (Rio de Janeiro: Rocco, 2000).
[94] ibid.

lhoras começam a murchar, tudo muda. Compaixão e cuidado se tornam fardos e a vulnerabilidade se transforma em fraqueza. Se a doença é algo tão nebuloso quanto a depressão, as pessoas começam a tratá-la como uma falha de caráter: você é preguiçoso, incapaz, egoísta, autocentrado.[95]

"Seus amigos lhe dizem que você é nervoso, sem dúvida você é, mas isso não muda o caso",[96] diz Charles.

Em síntese, tente se lembrar disso: palavras de diagnóstico como "depressão" são bilhetes ou convites, não destinos. Uma vez que as tenha falado, é como se iniciasse a sua viagem com a pessoa, e não que a terminasse.

NÃO HÁ "UM TAMANHO ÚNICO" NOS DIAGNÓSTICOS

Mas por quê? Quando usamos palavras que descrevem a depressão como um destino em vez de um convite, ficamos propensos a "guarnecer vários sofredores com um rótulo que esconde mais do que revela."[97]. Começamos a tratar os sofredores genericamente, ao invés de tratá-los como de fato o são em sua individualidade.

---

95 Meri Nana-Ama Danquah, "Writing the Wrongs of Identity," em *Unholy Ghost: Writers on Depression*, ed., Nell Casey (New York: HarperCollins, 2001), p. 176.
96 Charles Spurgeon, "Causes and Cure of Fainting," MTP, Vol. 49, Sermão 2812 (Ages Digital Library, 1998), p. 9.
97 Shenk, *Unholy Ghost*, p. 245.

Assim como as miríade de pessoas com os nomes Roberto ou Júlia diferem imensamente na personalidade, embora compartilhem os mesmos nomes, da mesma forma cada pessoa que compartilha do mesmo diagnóstico de "depressão" difere no seu tipo específico. Como um floco de neve, embora existam texturas e padrões semelhantes para identificação, não há duas depressões totalmente iguais. "Cada caso é tão diferente quanto o sofrimento de cada pessoa".[98] O que significa que "a panaceia para uma pessoa é uma armadilha para outra".[99]

Se os que sofrem de depressão nos encontram vendo-os como uma categoria, não acreditam que os vemos por completo. Mas você não se importa no início. Em um primeiro momento, a designação de categorias dá uma esperança romântica. Eles estão frequentemente desesperados por qualquer tipo de alívio, mesmo que ilusório. Porém logo descobrem que a designação não cura. Algo mais profundo deve ocorrer. Sofredores veteranos não confiam mais em uma mera categoria nosológica como auxiliadora.

De acordo com o Dr. Richard Winter, "sem uma esperança realista, tudo está perdido". A esperança realista é "a porta de saída das trevas da depressão e do desespero".[100] Se a nossa esperança está desgastada, aqueles que já sofreram o tempo suficiente para se decepcionar com todas as respostas que as pessoas têm oferecido ao longo do caminho, vão compreender o vazio de esperança que oferecemos a eles.

---

98 Rose Styron, "Strands," em *Unholy Ghost: Writers on Depression*, ed., Nell Casey (New York: HarperCollins, 2001), p. 137.
99 William Styron, *Perto das Trevas* (Rio de Janeiro: Rocco, 2000).
100 Winter, *Roots of Sorrow*, p. 292.

O QUE NÓS APRENDEMOS?

1. *Para o sofredor, as causas e curas podem não ser encontradas em um determinado momento.* Charles diz claramente: "Você pode estar cercado com todas as comodidades da vida, e ainda assim estar na miséria mais sombria que a morte se o espírito estiver deprimido. Você pode não ter nenhuma causa externa para a aflição, contudo se a mente estiver deprimida, o sol mais brilhante não vai aliviar sua tristeza. Neste momento, você pode estar oprimido por preocupações, assombrado pelo pavor e assustado com coisas que o inquietam."[101]

2. *Para os auxiliadores, a nossa capacidade de ajudar é real, mas também limitada.* Às vezes, tentamos focar em uma preocupação somente para descobrir que ela mudou e outra tomou o seu lugar. "Você se sente como Hércules cortando as cabeças da Hidra, que não cessam de se regenerar a cada golpe. Em desespero você desiste de sua tarefa (...) quanto mais você tenta se confortar", pior as coisas ficam.[102]

Consequentemente, devemos fazer uma pausa e com humildade admitir nossa posição de carentes. Não somos oniscientes. Não podemos saber tudo. Como o apóstolo Paulo nos

---

101 Spurgeon, "The Frail Leaf."
102 Charles Spurgeon, "O Consolador," NPSP, Vol. 1, Sermão 5, (http://www.charleshaddonspurgeon.com/2010/03/personalidade-do-espirito-santo-sermao.html).

recorda, somos como aqueles que olham para Deus, uns para os outros e para o mundo como que através de um espelho turvo. Sempre vemos, mas apenas parcial e vagamente (1Co 13.12).

Sobre esse ponto, Charles nos lembra a estabelecer o seguinte objetivo: sempre dar graças a Deus por aquilo que vemos claramente, não importa quão pequeno seja, e assim "reprimir nossa presunção". Pois "conhecemos apenas em parte", diz ele. "Amados, os objetivos que focamos estão distantes, e somos míopes."[103]

Então, uma esperança realista nos ensina a reconhecer, desde o início, que nossa visão também é limitada para tentar explicar a depressão. Não há lugar para o orgulho aqui. A graça de uma história maior, ou de uma visão mais ampla do que este momento específico de escuridão, deve nos orientar.

O BORDÃO DE SUA GRAÇA

Se a um homem coxo é oferecido um bordão, ele não precisa saber quem lhe deu e nem por que sua perna precisa de ajuda, antes precisa fazer uso da força do bordão e dar um passeio no jardim florido.

Muitos companheiros sofredores tiveram uma boa vida sem nunca saberem exatamente por que a escuridão os assombrou tanto. Quando descobrimos as razões dos porquês, damos graças. Todavia quando as razões permanecem escondidas, aprendemos a dar graças também, e mancar inclinados

---

[103] Charles Spurgeon, "Agora e Depois," MTP, Vol. 17, Sermão 1002 (http://www.projetospurgeon.com.br/2012/01/agora-e-depois/).

sobre o bordão. De qualquer maneira, a graça nos vê nitidamente além da nossa visão. Ela pode suportar bem o peso que não conseguimos.

Então, como podemos falar do Bordão da Graça de Deus no meio de nossa incapacidade excruciante de encontrar curas, causas ou até mesmo consolo? Esse tipo de teologia barata não aprofunda ainda mais as ideias desgastadas e prejudiciais de uma esperança irrealista?

Capítulo 6

UMA LINGUAGEM PARA AS NOSSAS AFLIÇÕES

"Aquele que agora expõe estas palavras, dentro de si mesmo, sabe mais a respeito dos abismos interiores do que ousaria falar ou se importar (...) Terrores estão voltados contra mim, eles perseguem a minha alma como o vento."[104]

O notável poema de Jane Kenyon, *Having it out with Melancholy,* coloca dois problemas relacionados a "Deus" e associados à depressão e às nossas tentativas de cuidados. Primeiro, a depressão arruína nossas "boas maneiras com Deus", pois nos ensina "a viver sem gratidão", nos tentando a responder ao propósito de nossa existência como "simplesmente uma espera pela morte", já que "os prazeres terrenos são tão supervalorizados".[105] Segundo, a depressão tenta nossos amigos a oferecer o seguinte conselho: "você não estaria tão deprimido se você realmente acreditasse em Deus."[106]

---

104 Charles Spurgeon, "Psalm 88," *The Treasury of David* (http://www.spurgeon.org/treasury/ps088.htm), acessado em 17/3/14.
105 Jane Kenyon, "Having it Out with Melancholy" em *Jane Kenyon: Collected Poems* (Saint Paul, Minnesota: Grey Wolf Press, 2005), p. 231.
106 Kenyon, "Having it Out with Melancholy", p. 232.

A DEPRESSÃO DE SPURGEON

A fim de aprender com as verdades dolorosas apontadas por Kenyon, precisamos primeiro de um reconhecimento gracioso das boas maneiras de Deus para com o depressivo. Assim, neste capítulo, vamos explorar a linguagem da graça que Deus dá ao sofredor. Logo depois, no capítulo seguinte, iremos explorar o tipo de ajuda que em nome de Deus faz mais mal do que bem. E posteriormente, no capítulo oito, examinaremos a verdadeira ajuda para o sofredor agraciado.

Vamos começar, portanto, com a linguagem que Deus utiliza para com o que sofre aflições. Com isso, percebemos suas maneiras amáveis para conosco mesmo quando as nossas para com ele parecem naufragadas e perdidas no mar.

A BÍBLIA USA METÁFORAS PARA AUXILIAR OS AFLITOS

Os sofredores de depressão se apoiam em metáforas. Andrew Salomon explica o porquê. Uma vez que "a depressão é uma condição quase inimaginável para qualquer um que não a tenha conhecido", seu diagnóstico "depende de metáforas".[107]

Andrew Salomon destaca algumas metáforas comumente usadas para a depressão, como "caminhar à beira de um precipício" ou "cair em um abismo". William Styron se debruçou igualmente sobre as imagens de afogamento e sufocamento para tentar fazer a descrição de sua aflição. Que metáfora você usaria?

---

107 Andrew Solomon, *O Demônio do Meio-dia: uma anatomia da depressão* (São Paulo: Companhia das Letras, 2014).

Charles não age de maneira diferente. Segundo ele, nossas depressões de tipos variados nos fazem como aqueles que "atravessam o imenso deserto".[108] Suportamos "invernos".[109] Somos "moídos como um cacho, pisados no lagar de vinho" e entramos no "dia de neblina" em meio à tempestade, como aqueles "apanhados por um furacão".[110] "As águas rolam continuamente onda após onda" sobre nós.[111] Somos como aqueles "assombrados pelo pavor"[112] num "calabouço escuro"[113] ou "sentados no canto de uma chaminé sob um acúmulo (...) de dores, fraquezas e aflições".[114] Sentamo-nos "nas trevas, como aquele que está gelado e entorpecido e sobre quem a morte está rastejando[115] lentamente". Somos como "guerreiros ofegantes" e "pobres soldados enfraquecidos"[116] clamando pelo alívio dessa "longa batalha de aflição".[117]

---

108 Charles Spurgeon, "A Call to the Depressed," MTP, Vol. 60, Sermão 3422 (Ages Digital Library), p. 542.
109 Charles Spurgeon, "Sweet Stimulants for the Fainting Soul," MTP, Vol. 48, Sermão 2798 (Ages Digital Library), p. 578.
110 Charles Spurgeon, "All Day Long," MTP, Vol. 36, Sermão 2150 (Ages Digital Library), p. 433.
111 Charles Spurgeon, Faith's Checkbook (Ages Digital Library), p. 4.
112 Charles Spurgeon, "The Frail Leaf," MTP, Vol. 57, Sermão 3269 (Ages Digital Library), p. 590.
113 Charles Spurgeon, "The Shank Bone Sermon; Or, True Believers and Their Helpers," MTP, Vol. 36, Sermão 2138 (Ages Digital Library), p. 252.
114 Charles Spurgeon, "Faintness and Refreshing," MTP, Vol. 54, Sermão 3110 (Ages Digital Library), p. 592.
115 Charles Spurgeon, "A Discourse to the Despairing," MTP, Vol. 40, Sermão 2379 (Ages Digital Library), p. 616.
116 Charles Spurgeon, "The Fainting Warrior," NPSP, Vol. 5, Sermão 235 (Ages Digital Library), pp. 145-6.
117 Charles Spurgeon, "Faint, But Not Fainthearted," MTP, Vol. 40, Sermão 2343 (Ages Digital Library), p. 23.

A DEPRESSÃO DE SPURGEON

O historiador Stanley W. Jackson escreveu sobre esse uso necessário de metáforas em seu livro *Melancolia e Depressão: Dos Tempos Hipocráticos aos Tempos Modernos* (Melancholia & Depression: From Hippocratic Times to Modern Times). Jackson não encontrou "nenhuma afirmação literal", nenhum termo de diagnóstico que fosse capaz de descrever adequadamente a diversidade de nossa tristeza juntamente com seus variados ataques de melancolia e humor. O que ele encontrou em vez disso foram duas figuras de linguagem recorrentes: "estar em um estado de escuridão e estar oprimido".[118]

Precedendo-o, Charles encontrou tais metáforas e comparações na própria Bíblia. Em suas páginas, os fiéis descrevem sua condição interior em termos de poços e pântanos lamacentos, sombras profundas e cemitérios, inundações que nos engolem completamente. O salmista se volta para esse tipo de linguagem:

> Pois a minha alma está farta de males, (...)
> sou como um homem sem força,
> atirado entre os mortos;
> como os feridos de morte que jazem na sepultura,
> dos quais já não te lembras;
> são desamparados de tuas mãos.
> Puseste-me na mais profunda cova,

---

[118] Citado em Joshua Shenk, "A Melancholy of My Own," em *Unholy Ghost: Writers on Depression*, ed., Nell Casey (New York: HarperCollins, 2002), p. 249.

nos lugares tenebrosos, nos abismos.
Sobre mim pesa a tua ira;
tu me abates com todas as tuas ondas. (Sl 88.3-7)

A metáfora se transforma em nosso professor de oração. Nossas orações do fundo de nossos corações começam a soar assim:

Não me arraste a corrente das águas,
nem me trague a voragem,
nem se feche sobre mim a boca do poço. (Sl 69.15)

Até os títulos dos sermões de Charles começam a utilizar metáforas que a Escritura oferece aos aflitos: títulos como "A Folha Frágil" (Jó 13.25), "O Espírito Abatido" (Pv 18.14), "A Alma Abatida" (Sl 42.6) e "A Cana Quebrada" (Is 42.1-3). Jesus é "o homem de dores" (Is 53.3). Ele não nos abandona no meio da agonia de um "espinho na carne" (2Co 12.7).

A METÁFORA AJUDA A LIDAR COM O MISTÉRIO

Que implicações tem para nós a maneira de Deus usar as metáforas? Você e eu precisamos de uma linguagem para as aflições e Deus a ensina para nós. E por que precisamos desse aprendizado?

O poeta Wendell Berry uma vez descreveu sua intenção de escrever poemas rurais com a linguagem adequada para o local.

A DEPRESSÃO DE SPURGEON

Seu objetivo era que se alguém fosse ler seus poemas e então visitasse o lugar de onde o poema se originou, a linguagem do poema se provaria nativa do lugar em vez de estrangeira a ele.[119]

Da mesma forma, quando olhamos para a linguagem de Deus revelada na Bíblia, encontramos uma linguagem que o sofredor reconheceria como nativa e não estrangeira em relação à geografia de sua angústia interior. Começamos a falar gradualmente e nos abstemos de falar como aqueles que conhecem esse terreno de angústia em primeira mão. Quando essa fala acontece, a esperança realista tem uma chance.

A metáfora se torna nativa no terreno da depressão, pois:

(1) A metáfora abre espaço. Ela não se propõe a cobrir todos os ângulos, entender cada possibilidade ou explicar cada detalhe. Ela não requer apenas uma explicação possível. A linguagem que se propõe a fazer isso em relação à depressão expõe visivelmente sua ignorância para com a presente situação.

(2) A metáfora permite nuances e diferenciações. Desde que a experiência de cada pessoa com a depressão difere, a metáfora permite a expressão diversa. A prosa estereotipada ou o lugar-comum imediatamente revelam sua falta de realismo em relação a como a depressão prejudica alguém.

(3) A metáfora requer uma maior reflexão e exploração. É uma palavra de convite mais do que de destino que, como observamos anteriormente, é crucial para recolher os escombros da depressão.

---

119 Wendell Berry, "*Notes from an Absence and Return*," em A Continuous Harmony (Washington, D.C.: Shoemaker & Hoard, 1972),pp. 35-36.

Sem a metáfora, a depressão frequentemente expõe a inexperiência do nosso vocabulário. Ela desnuda nossa preferência pelas palavras felizes, prosaicas ou clínicas assumidas por nossa impaciência, nosso treino teológico ou nossas preferências médicas. Ela expõe de forma patente o nosso preconceito contra o lamento, recorrente em nosso falar teológico e em nossas tentativas fracassadas de bem-querer.

A esperança realista, ao contrário, conta com o uso das metáforas. Com isso, criamos uma poesia das aflições, um dicionário das tristezas. A esperança realista nos ensina a capacidade de entrar na "tristeza da multidão", nas "trevas que se adensam", "no humor venenoso", "na imensa tempestade no cérebro", "na ruína interior", que frequentam muitos de nossos semelhantes.[120] Nossa linguagem para as trevas cresce de maneira útil. Nossa capacidade para amar o próximo se aprofunda.

Sem isso, oferecemos meros *band-aids* para ossos quebrados e loção tópica para uma hemorragia interna. Descrevemos em tons pastéis a chocante respiração cinza de uma ofegante ansiedade. E, então, quando os espinheiros e as ervas daninhas assumem o comando, todas as nossas palavras infladas estouram como balões.

Nesse ponto, Kathleen Norris nos assusta apresentando uma ironia penetrante. Ela lamenta que, se queremos encontrar palavras para criar caminhos adequados sobre os quais andar, "você está em melhor companhia com os poetas do que com os cristãos.". "É irônico", diz ela, "porque as Escrituras do

---

120 William Styron, *Perto das Trevas* (Rio de Janeiro: Rocco, 2000).

A DEPRESSÃO DE SPURGEON

cânon cristão estão cheias de metáforas incomuns que criam a sua própria realidade."[121]

Às vezes alguns de nós que sofrem de depressão sentem a picada dessa ironia — a incapacidade de encontrar compaixão e conforto das pessoas que leem a Bíblia todos os dias, mas não reconhecem o dom da metáfora para os aflitos dentro de suas páginas. Como podemos diminuir a picada de uma esperança irrealista?

1. Na condição de um doente, *procure metáforas para descrever sua experiência*. Receba as metáforas que sofridos companheiros têm falado como os dons sussurrados por bons amigos. Acolha o jeito gracioso de Deus de preencher as Escrituras com uma poesia para o aflito como sua capacidade de se sentar, com conhecimento e empatia, nas cinzas com você.
2. Na condição de um auxiliador, *aprenda a paciência e a apreciação da metáfora*. Você já admitiu que nenhuma resposta ou solução simples está à disposição e que sua fala prolixa de explicação ou exortação não pode remediar a situação. Contudo, isso não significa que as palavras não têm nenhuma utilidade para você. Palavras, de um determinado tipo, lhe são muito úteis. A metáfora nos convida a dizer "o que significa isso?". Fazer essa pergunta, e em seguida ouvir e aprender, é usar as palavras como convites e pontes em direção à empatia e ao entendimento compartilhado.

---
[121] Kathleen Norris, *O Caminho do Claustro* (Rio de Janeiro: Editora Nova Era, 1998).

POESIA DE DEUS PARA AS NOSSAS AFLIÇÕES

Com essa história da metáfora e as narrativas registradas nas Escrituras, a alma frustrada, o cérebro afetado e o demônio assustado recebem uma visão mais ampla e uma linguagem adequada.

Neste ponto voltamos à pergunta que temos feito. Como podemos encontrar uma visão mais ampla sobre Deus para as nossas aflições, sem sermos cruéis ou banais sobre isso? Para Charles, isso se dava, em parte, porque a linguagem de Deus revela um Ser que realmente entende nosso dilema.

Se Charles estiver certo e Deus for verdadeiramente gracioso para dar a nossas aflições uma linguagem, então uma esperança realista começa a deslizar suave, mas verdadeiramente, para dentro de nosso campo visual, como ondas na maré rolando sob nossos céus noturnos. Essa esperança pulsa e esmaece, como a lâmpada de um farol circulando vagarosa e a perdemos de vista. Novamente e novamente, ela retorna à vista, desbravando seu caminho em nossa direção através da névoa da ausência. As águas da noite começam a brilhar com promessas.

> Mas para a terra que estava aflita não continuará
> a obscuridade (...)
> O povo que andava em trevas
> viu grande luz,
> e aos que viviam na região da sombra da morte,
> resplandeceu-lhes a luz. (Is 9.1-2)

A DEPRESSÃO DE SPURGEON

A visão mais ampla de Deus existe e possui dentro dela uma linguagem de aflições, para que aos entristecidos, aos angustiados, aos que estão no caminho das trevas e aos habitantes da noite profunda seja dada voz. Essa visão de Deus não é nem cruel e nem banal. Essa visão começa a revelar, de fato, a compaixão divina.

Às vezes, tal compaixão transcende as palavras, tornando-se em gemidos e dores. Admitir os limites das palavras e deixar o silêncio assentar-se enquanto nutrimos uns aos outros ou caminhamos uns com os outros pode ser o reconhecimento gracioso da esmagadora natureza da aflição.

A compaixão divina é seu professor, querido cuidador, seu aliado e amigo, querido sofredor. Deixe a divina linguagem dos aflitos ajudá-lo.

Capítulo 7

AJUDAS QUE FAZEM MAL

"Ah!", diz um, "eu costumava rir da Sra. Fulana por ela ser nervosa, agora que eu mesmo sinto a tortura, arrependo-me por ter sido tão duro com ela.". "Ah!", diz outro, "eu costumava pensar que tais e tais pessoas deviam ser tolas por estarem sempre em um estado de espírito tão melancólico, mas agora não consigo parar de afundar para dentro dos mesmos quadros de desânimo e, oh! Eu pediria a Deus que tivesse sido mais gentil com eles!". Sim, sentiríamos mais pelo prisioneiro se soubéssemos mais acerca da prisão.[122]

Neste momento, estamos nos indagando sobre como Deus procede. Como podemos incorporar nossas aflições a uma visão mais ampla de Deus, quando tão frequentemente as pessoas usam "teologia" para nos tratar de maneira tão banal e cruel? Respondemos primeiro olhando para a linguagem de aflições fornecida pela metáfora que satura as páginas das Escrituras. Agora voltamos nossa atenção para outra parte dessa visão mais

---

122 Charles Spurgeon, "A Troubled Prayer," MTP, Vol. 13, Sermão 741, Christian Classics Ethereal Library (http://www.ccel.org/ccel/spurgeon/sermons13.xiv.html), acessado em 13/12/13.

ampla de Deus. Temos aconselhado isso o tempo todo, mas agora vamos olhar claramente para essa verdade. Deus não apenas nos deu uma linguagem da graça adequada para as nossas aflições; ele também advoga pelos aflitos, expondo o tipo de ajuda que nos faz mal, como observado por Charles.

POR QUE SOMOS DUROS COM OS QUE SOFREM

De acordo com Charles, é fato que "pessoas com uma mentalidade forte são muito aptas a serem duras com os companheiros nervosos" e falarem "de maneira áspera com pessoas que são muito deprimidas de espírito", dizendo: "realmente, você deveria despertar desse estado".[123]

O resultado é que uma pessoa forte diz a outra pobre e sofredora: "Coisa sem sentido! Tente se esforçar!". Porém, quando faz isso, diz "uma das coisas mais cruéis que pode ser dita a um sofredor", e tentando ajudar "apenas inflige mais dor".[124]

O que nos faz ministrar um cuidado impaciente em relação à depressão?

1. *Julgamos os outros de acordo com nossas circunstâncias e não de acordo com as deles.* "Há muitos de vocês que parecem ter um grande estoque de fé, mas somente porque estão gozando de muito boa saúde e seus negócios estão prosperando. Se vocês tiverem uma

---

[123] Charles Spurgeon, "The Saddest Cry from the Cross," MTP, Vol. 48, Sermão 2803 (Ages Digital Library, 1998), p. 663.
[124] Charles Spurgeon, "Binding Up Broken Hearts," MTP, Vol. 54, Sermão 3104, (http://www.ccel.org/ccel/spurgeon/sermons54.xxxii.html), acessado em 15/8/14.

doença no fígado ou seu negócio fracassasse, eu não ficaria surpreso se nove décimos de sua maravilhosa fé evaporassem."[125]. Jesus nos ensina sobre aqueles que colocam seus fardos pesados sobre os outros, mas não levantam um dedo para ajudar (Mt 23.4).

2. *Ainda achamos que frases batidas e desgastadas ou a elevação de voz podem curar feridas profundas.* Uma pessoa "pode ter uma grande aflição espiritual, e alguém que não entende sua dor como um todo pode lhe oferecer um consolo muito leve". Como um médico que oferece uma pomada comum para uma ferida profunda, "dizemos coisas para uma pessoa intensamente angustiada que na verdade só agravam o seu mal."[126]. Charles nos relembra as Escrituras a esse respeito: "como quem se despe num dia de frio e como vinagre sobre feridas, assim é o que entoa canções junto ao coração aflito." (Pv 25.20).

3. *Tentamos controlar aquilo que deveria ser em vez de nos rendermos ao que realmente é.* Não devemos "julgar severamente como se as coisas fossem como teoricamente as colocamos, mas devemos lidar com as coisas como elas são, e não se pode negar que alguns dos melhores crentes são, por vezes, lamentavelmente colocados nessa situação", até mesmo "para saber se eles são crentes

---

125 Charles Spurgeon, "Night and Jesus Not There," in MTP, Vol. 51, Sermão 2945 (Ages Digital Library, 1998), p. 457.
126 Charles Spurgeon, "Refusing to Be Comforted," MTP, Vol. 44, Sermão 2578 (Ages Digital Library, 1998), p. 417.

de verdade".[127] As Escrituras nos ensinam sobre os amigos de Jó que lutaram com esse exato ponto.
4. *Resistimos a ser humildes acerca de nossa falta de experiência.* "Há algumas pessoas que simplesmente não conseguem confortar outras, mesmo que o tentem fazer, porque elas mesmas nunca tiveram nenhuma aflição. É difícil para um homem que possui uma vida de prosperidade ininterrupta ter compaixão por outro cujo caminho tem sido extremamente difícil."[128]. O apóstolo Paulo nos ensina a confortar os outros baseando-nos no conforto que nós mesmos temos recebido e de que temos necessitado (2Co 1.4).

De acordo com a Bíblia, quando encontramos alguém que chora, também se espera que choremos (Rm 12.15). Quando alguém encontra adversidade, espera-se que a pessoa reflita e medite, e nós juntamente com ela (Ec 7.14). Sem nos compadecermos mutuamente, nossas tentativas de ajudarmos os outros podem perder o tom da realidade. Essa perda do tom da realidade forja a principal razão da nossa aspereza.

O TOM DA REALIDADE

Quando sofremos depressão, desejamos que nossos pregadores, líderes cristãos e conselheiros informais saibam mais a

---

127 Charles Spurgeon, "Helps to Full Assurance," MTP, Vol. 30, Sermão 1791 (Ages Digital Library, 1998), p. 516.
128 Charles Spurgeon, "Binding Up Broken Hearts," MTP, Vol. 54, Sermão 3104 (Ages Digital Library, 1998), p. 491.

respeito da prisão dentro da qual sofremos antes de se proporem a falar sobre ela.

Um dos contemporâneos de Spurgeon expressou-se desta forma: Um teólogo de plantão, ou aquele que tem sempre uma resposta pronta para oferecer, deveriam "falar aos ouvidos de tais vítimas com um *tom da realidade*". A salvação e o resgaste que esses pregadores e conselheiros propõem àqueles que sofrem "devem ser tão fortes quanto o próprio lamento deles", para que a mensagem "tenha efeito."[129]

Nossas mensagens de salvação terão comprovada inadequação se não derem conta, de modo significativo, da imensa porção da realidade que causa gritos no mundo, particularmente a depressão. Há muito se tem reconhecido que uma espiritualidade centrada apenas no brilho do sol, no pensamento positivo, no imediatismo e nas citações bíblicas de rápido efeito se mostra "impotente logo que a melancolia chega".[130] Quando tentamos ajudar àqueles que sofrem de depressão sem esse tipo de realidade em nossas palavras, eles se mostrarão incapazes de nos ouvir, porque vão pensar que nós ainda não os ouvimos. O evangelho que lhes oferecemos vai parecer incapaz de lidar com a profundeza do que eles de fato vivenciam na vida real.

A RUPTURA DE SIGNIFICADO

O que os sofredores vivenciam é uma "ruptura de significado" dentro de suas vidas. A visão mais ampla parece

---

[129] William James, *"As Variedades da Experiência Religiosa"* (São Paulo: Cultrix, 2005), (itálicos do autor).
[130] ibid.

fraturada ou irreconhecível. Rupturas de significado acontecem com a maioria de nós. "De um lado", diz Jennifer Michael Hecht, "há um mundo em nossas cabeças (...) um mundo de razão e planos, amor e propósito; de outro, há o mundo além da nossa vida humana — um mundo igualmente real no qual não há sinal de carinho ou de valor, de plano ou julgamento, de amor ou alegria."[131].

Todavia, imagine agora como essa ruptura de significado soa para os que sofrem de depressão quando o "mundo em nossas cabeças" não é preenchido com "razão, planos, amor e propósito", mas com a perda de todos esses valores. Nesse estado, o mundo lá fora e o mundo interior conspiram desgraçadamente para a negação da esperança. Ambos, o chão e o teto, desaparecem. Caímos em queda livre sem nenhum lugar para aterrissar. Quando a esperança realista cessa, nós também cessamos. Charles quase cessou, e isso aconteceu mais de uma vez.

Portanto, quando o verdadeiro significado de nossa vivência se rompe, devemos nos apegar ao que William James chamou de "os esquemas mais remotos e esperanças de vida."[132]. Por "esquemas mais remotos", James entende o que podemos chamar de "uma visão mais ampla", na qual nossa melancolia atual significa apenas uma cena ou um capítulo.

Quando a meta-narrativa ou o esquema mais remoto torna-se obscuro, e não temos nenhuma visão mais ampla na qual

---

131 Jennifer Michael Hecht, "*Dúvida: Uma História*" (Rio de Janeiro: Ediouro, 2005).
132 James, "*As Variedades da Experiência Religiosa*".

podemos incorporar nossa melancolia presente, "a iminência do desespero"[133] se intensifica, e o mesmo tende a acontecer com o realismo de nossa esperança.

Resumindo, a esperança que oferecemos deve corresponder à profundidade da ferida e à miséria da dor. Que diferença isso deveria fazer em nosso cuidado próprio, bem como em nosso cuidado para com o outro?

NÓS MUDAMOS A MANEIRA DE CUIDAR

Primeiro, vamos reduzir a velocidade para apreciar mais a vista. Ficaremos nisso por um instante. A solução não é apenas uma questão de encontrar as palavras certas.

Segundo, adequar-se às profundezas muda nossa maneira de falar em público. Pessoas que sofrem de depressão e outros dilemas mentais estão sempre próximas de nós. Como um orador público, Charles trabalhou duro para usar uma linguagem que pudesse responder à intensidade do desespero. No Salmo 88, por exemplo, destacou o verso seis (ARC), que diz: "Puseste-me no mais profundo do abismo, em trevas e nas profundezas."[134]. E permaneceu com essas palavras da Escritura. "Que coleção de metáforas penetrantes", observou. "Nenhuma das comparações são forçadas". Então nos falou o porquê:

---

133 Berry, *Life is a Miracle*, p. 7.
134 Charles Spurgeon, "Psalm 88," em *The Treasury of David*, The Spurgeon Archive (http://www.spurgeon.org/treasury/ps088.htm), acessado em 13/12/13.

A DEPRESSÃO DE SPURGEON

> A mente pode desabar muito mais profundamente do que o corpo, pois nela há poços sem fundo. A carne pode suportar apenas um certo número de feridas e não mais, mas a alma pode sangrar de dez mil maneiras, e morrer repetidas vezes a cada hora."[135]

Terceiro, seu ministério pessoal se assemelha a seu ministério no púlpito. Os sofredores da mente se tornaram pessoas a quem Charles prestou atenção regularmente, embora tenha sido um pastor com proeminência nacional e internacional. "Em conversa com aqueles que estão em uma condição miserável, me encontro em casa", diz ele. Ele, que esteve no calabouço escuro, conhece o caminho para o pão e a água.[136]

Esses ministérios, pessoal e no púlpito, às vezes criavam um desafio. Mesmo quando tentava encontrar tempo para um retiro pessoal e férias, "parecia que todos que estivessem sofrendo de depressão do espírito, e vivendo em Menton, Nice, Cannes, Bordighera ou San Remo, o descobriam e procuravam o alívio que seu coração compassivo estava sempre pronto a oferecer."[137].

O resultado se assemelha ao que qualquer auxiliador vai sentir. "Não é fácil levantar os outros sem se encontrar

---

135 Ibid.
136 Charles Spurgeon, "The Shank-Bone Sermon; Or, True Believers and their Helpers ," MTP, Vol. 36, Sermão 2138 (Ages Digital Library, 1998), p. 252.
137 Charles Spurgeon, *Autobiography Vol. 4* (http://www.grace-ebooks.com/library/Charles%20Spurgeon/CHS_Autobiography/CHS_Autobiography%20Vol%204.PDF), p. 233, acessado em 18/3/14.

exausto".[138] Graça sobre graça forja nosso mantra e nossa necessidade. Graça que nunca se cansa forja a nossa esperança.

A VISÃO MAIS AMPLA DE DEUS

De volta ao brincalhão que gritou "fogo!" e às pessoas que morreram enquanto pregava, Spurgeon, esse jovem marido e pai de gêmeos de um mês de idade, fora colocado num processo intensivo de monitoramento, próximo ao que atualmente é denominado "Vigilância de Suicídio" (*Suicide Watch*). "Eu estava tão desorientado por conta daquilo", recorda. "Pessoas me vigiavam, pois não sabiam o que poderia acontecer comigo."[139]. "Tinha quase perdido minha razão por umas três semanas".[140]

Contudo, olhando para trás, Charles incorpora tais cenas de desamparo e de perda de razão dentro dessa visão mais ampla de Deus, tanto no mundo como em sua vida, e diz à congregação:

> Vocês se lembram de como choraram por seu ministro para que ele pudesse ter restaurada a razão que anteriormente tinha até começado a desfalecer? Vocês se lembram de como Deus tem sido conosco? Tivemos uma obra

---

138 Charles Spurgeon, "Fever and its Cure," MTP, Vol. 36, Sermão 2174 (http://www.ccel.org/ccel/spurgeon/sermons36.lii.html), acessado em 18/3/14.
139 Charles Spurgeon, "Joy in Place of Sorrow," MTP, Vol. 43, Sermão 2525 (Ages Digital Library, 1998), p. 446.
140 Charles Spurgeon, "Belief in the Resurrection," MTP, Vol. 61, Sermão 3452 (Ages Digital Library, 1998), p. 148.

especial, uma provação especial, um livramento especial.[141]

"Nossa perspectiva sobre o que está acontecendo é vital para nosso senso de esperança. Tamanha depressão surge por causa de uma perda de perspectiva."[142]. Quando não esperamos mais que uma forma realista de ajuda possa vir, perdemos a esperança.

Deste modo, retornamos à questão que estávamos fazendo. Como podemos confiar nossas aflições à visão mais ampla, à mais larga história de Deus?

Neste instante, estamos começando a esboçar uma tentativa de resposta a essa importante pergunta. Deus tem a sonoridade autêntica sobre si mesmo quando se relaciona conosco em nossas dores e sofrimentos. Conhece em primeira mão a proximidade do nosso desespero e nos dá linguagem e cuidados proporcionais às nossas dores.

Queremos, agora, nos deter por um instante e ver por que Jesus significa tanto para essa visão mais ampla, em termos gerais, e para nós, que sofremos de depressão, em particular.

---

141 Charles Spurgeon, *Autobiography*, Capítulo 50 (Ages Digital Library, 1998), p. 235.
142 Richard Winter, *The Roots of Sorrow: Reflections on Depression and Hope* (Crossway Books, 1986), p. 292.

Capítulo 8

JESUS E A DEPRESSÃO

*"É um consolo indizível que nosso
Senhor Jesus conheça essa experiência"*[143]

Na obra *O Demônio do Meio-dia: Uma Anatomia da Depressão*, Andrew Solomon, que não professa seguir Jesus, observa que "mesmo as pessoas que se apoiam em uma fé que lhes promete uma existência diferente no além não podem evitar a angústia neste mundo". O autor relembra que o próprio Cristo foi um "homem de dores".[144]

Esta designação "homem de dores" vem de Isaías 53.3, quando o profeta do Antigo Testamento descreve o prometido de Deus. Charles testemunhava regularmente sobre a força abençoadora que o relacionamento com Jesus, enquanto homem de dores, lhe proporcionou:

---

143 Winter, *The Roots of Sorrow: Reflections on Depression and Hope*, p. 292.
144 Solomon, *O Demônio do Meio-dia: uma anatomia da depressão*, p. 15.

Pessoalmente, eu também trago o testemunho de que foi para mim, em épocas de grande dor, espantosamente confortável saber que em cada pontada que aflige seu povo o Senhor Jesus igualmente possui identificação com o sentimento. Não estamos sozinhos, pois aquele "semelhante ao filho do homem" caminha conosco na fornalha de fogo ardente.[145]

JESUS TAMBÉM SOFREU DEPRESSÃO

A "identificação com o sentimento" (*fellow-feeling*) que os sofredores encontram na visão mais ampla de Jesus inclui aqueles que sofrem de depressão. Os cristãos estão acostumados a serem estudantes da Cruz. Não obstante, Charles convida os doentes a encontrar o socorro do nosso Salvador no Jardim do Getsêmani.

Esse "jardim de tristeza"[146] se torna para Charles uma imagem da "depressão mental" de Jesus.[147] "A dor corporal deve nos ajudar a entender a cruz", mas "a depressão mental deveria nos fazer aptos estudiosos do Getsêmani"[148], diz ele. "Ao lado de seu sacrifício, a simpatia de Jesus consiste na

---

[145] Charles Spurgeon, "The Man of Sorrows," MTP, Vol. 19, Sermão 1099 (Ages Digital Library, 1998), p. 153.

[146] Charles Spurgeon, "The Weakened Christ Strengthened," MTP, Vol. 48, Sermão 2769 (Ages Digital Library, 1998), p. 149.

[147] Charles Spurgeon, "Getsêmani," MTP, Vol. 9, Sermão 493 (e-book http://livros.gospelmais.com.br/livro-getsemani-charles-haddon-spurgeon.html). Veja também: "The Overflowing Cup," MTP, Vol. 15, Sermão 874 (Ages Digital Library, 1998), p. 388.

[148] Charles Spurgeon, "The Overflowing Cup," MTP, Vol. 15, Sermão 874 (Ages Digital Library, 1998), p. 388.

próxima coisa mais preciosa"[149]. Faz bem aos auxiliadores tomarem conhecimento disso.

Então, quando o livro de Hebreus, no Novo Testamento, diz que Jesus é aquele que "foi tentado em todas as coisas, à nossa semelhança" e que "naquilo que ele mesmo sofreu, tendo sido tentado, é poderoso para socorrer os que são tentados" (Hb 4.15; 2.18), Charles prontamente postula que essa simpatia ou compaixão de Jesus inclui não só nossa fraqueza física, mas também nossa "depressão mental".[150]

O resultado? Aqueles que sofrem de depressão podem encontrar um lugar para descansar na experiência de vida de Jesus. "Quão completamente é removida a amargura da tristeza", explica Charles, ao "saber que ela fora, outrora, sofrida por Cristo".[151]

Por isso, mesmo quando nos tornamos insensíveis aos teólogos de plantão, cuja fé não é realista ou que não sabem nada do que vivenciamos, não precisamos ignorar Jesus. Pelo contrário, se procuramos por alguém, qualquer que seja, para saber o que significa caminhar em nossos sapatos, Jesus emerge como a mais proeminente e verdadeira companhia para as nossas aflições. A esperança realista é algo saturado de Jesus. Aqueles que sofrem de depressão têm um aliado, um herói, um companheiro-redentor e que advoga em prol do mentalmente assediado.

---

149 Spurgeon, "The Man of Sorrows," p. 154.
150 Spurgeon, "The Weakened Christ Strengthened," p. 143.
151 Spurgeon, "The Man of Sorrows," p. 154.

A DEPRESSÃO DE SPURGEON

ENCONTRANDO CONFORTO EM JESUS

Nesse ponto, pode nos surpreender que o paraíso nem sempre é o melhor consolo àqueles que estão em depressão. Na verdade, quando estamos conscientes somente de nossa miséria, a referência insistente à grandiosidade agrega pouco consolo às tentativas constantes de conforto. "O aflito não procura intensamente pelo conforto da segunda vinda de Cristo (...) o procura da maneira que veio pela primeira vez, um homem desgastado e cheio de tristezas".[152] Por quê? Porque nós próprios estamos desgastados e cheios de tristeza, sem linha de chegada à vista.

Ao dizer isso, Charles não está dispensando a futura advocacia ou intercessão de Jesus. Certamente uma visão de Jesus conosco e por nós no paraíso pode, por vezes, trazer alívio para nossa miséria. Nele, vemos que nossos sofrimentos presentes são leves e momentâneos. Ele vai permanecer mais do que nosso sofrimento e nele também permaneceremos!

Da mesma forma, Charles também não dispensa a presente advocacia ou defesa de Jesus. "Oh, como isso iria animá-lo a qualquer momento que você estivesse depressivo, apenas vê-lo parado e suplicando por você!", ele diz.[153] A presença de Jesus nos defendendo, nos mantendo seguros, nunca nos abandonando, proporciona imenso conforto. Sua presença é uma boa notícia.

---

152 Spurgeon, "The Man of Sorrows," p. 149.
153 Charles Spurgeon, "Honey in the Mouth," MTP, Vol. 37, Sermão 2213, The Spurgeon Archive (http://www.spurgeon.org/sermons/2213.htm), acessado em 26/2/14.

Porém Charles enfatiza um ponto vital: ocasionalmente "até mesmo as glórias de Cristo não proporcionam nenhum consolo aos espíritos aflitos.". Em vez disso, o que precisamos saber para nós mesmos, em nossos corações, é que Jesus é "o Principal Pranteador [*Chief Mourner*] que, acima de todos os outros, poderia dizer 'Eu sou o homem que viu a aflição'"[154]. Sentir em nosso ser que o Deus para o qual clamamos sofreu ele próprio como nós, nos permite sentir que não estamos sozinhos e que Deus não é cruel.

Portanto, em Jesus, não é nem banal nem cruel falar da visão mais ampla de Deus para o bem de nós próprios, porque esse Deus é como um rei junto ao campo de batalha. Ele não é como aqueles da nobreza, que ficam distantes, sentados na retaguarda, comendo no luxo enquanto seus soldados sofrem por uma causa pela qual eles mesmos, pessoalmente, não levantam um dedo. Nesses casos, como aqueles soldados, ficamos cansados e resignados.

Mas em Jesus não temos nenhuma história de um Deus distante. Ao contrário, esse Deus lidera a partir da frente. Ele tem fome quando seu povo tem fome. Tem sede quando eles têm sede. Deixa de lado o copo de água que lhe foi oferecido, passando-o para um companheiro soldado que parece mais fraco que ele. Desse modo, nós, que o vemos lutar e sofrer entre nós, começamos a acreditar que porque ele suporta também podemos suportar. Clamamos: "neste dia seguramente podemos suportar a pobreza, a calúnia, o desprezo ou a própria

---

154 ibid., p. 150.

morte, porque Jesus Cristo nosso Senhor a suportou". Por quê? "Porque se houver consolação em algum lugar, ela certamente pode ser encontrada na presença deleitosa do Crucificado."[155]. "O Pranteador Comum [*Ordinary Mourner*] (...) saboreia na tigela da aflição, mas a drena até secar."[156].

Com razão, nos perguntamos por que Deus permite a depressão e outros sofrimentos. Contudo, nos deixe indagar também por que ele escolhe sofrer conosco e por nós. O "homem de dores" revela uma história maior, uma visão mais ampla de Deus, que possui a capacidade para trazer esperança realista em meio à iminência de nosso desespero. De que maneiras essa visão mais ampla molda a nossa atenção para a depressão?

LIDANDO COM NOSSOS ALTOS E BAIXOS

Em uma manhã de domingo, Charles compartilhava abertamente em sua pregação: "esta semana foi em alguns aspectos uma semana gloriosa em minha vida, mas se encerrou com um horror de grande escuridão sobre o qual não direi mais do que isso."[157]. Charles então falou de sua propensão a altos e baixos. "Suponho que alguns irmãos não tenham muitas elevações ou depressões. Quase poderia desejar compartilhar suas vidas pacíficas.". Continua: "Pois muito sou arremessado para cima e para baixo e embora minha alegria seja maior do que a da

---

155 ibid.
156 ibid., p. 155.
157 Charles Spurgeon, "Israel's God and God's Israel," MTP, Vol. 14, Sermão 803 (Ages Digital Library, 1998), p. 238.

maioria dos homens, minha depressão de espírito é tamanha, de que poucos teriam ideia."[158].

Charles compartilhou esse testemunho pessoal como ilustração da referência que fez a Elias, profeta do Antigo Testamento, e de seu sucesso sem precedente na vida, seguido de uma terrível depressão. Tanto é assim que Elias pediu para morrer. "Altas exaltações envolvem profundas depressões", observou Charles espirituosamente. Em seguida, volta a utilizar dessa verdade diretamente para aqueles que também sabem o que significa "cair nas profundezas da depressão". Ela se aplica aos cuidados do Deus que se encontra próximo ao nosso abismo diário.

- *Não importa o quão profundo você caia, a graça é ainda mais profunda.* "O que estava sob Elias quando ele caiu naquele desmaio debaixo de um zimbro e por quê? Pois, embaixo estavam os braços eternos. "Não importa o quão longe você caia em sua depressão, os braços eternos estarão sob onde você estiver."[159].
- *A graça vai mais fundo não importa a causa.* "Irmãos, há muitas ocasiões nas quais o espírito afunda, por vezes através de decepções, de deserções de amigos, da observação do declínio da obra do Senhor, de uma falta de sucesso em nosso ministério, de um sentimento de pecado ou mil outros males que podem todos nos lançar

---

158 Charles Spurgeon, "Israel's God and God's Israel," MTP, Vol. 14, Sermão 803, p. 238.
159 ibid.

para baixo."[160]. Jesus é capaz de compadecer-se e nos recuperar não importa o que enfrentemos.

Em outra pregação, Charles igualmente revelou sua condição: "Estou bastante descontrolado para me dirigir a vocês esta noite. Sinto-me extremamente indisposto, excessivamente pesado e profundamente depressivo."[161] Mas o que o ajudou naquela noite foi "o prazer de tentar dizer algumas palavras" sobre o evangelho àqueles que estavam reunidos. O prazer de compartilhar a visão mais ampla do sofrimento e compaixão de Jesus pode misteriosamente nos fortalecer em nossa depressão.

NÓS APRENDEMOS A CONTAR NOSSAS HISTÓRIAS

Por que Charles falava sobre sua depressão tão abertamente? Ele enfrentou aqueles que o estigmatizavam, o envergonhavam ou o discriminavam. Como? Assim como a história de Jesus nos diz que Deus lá esteve para nos dar esperança real, nós que estivemos lá com ele aprendemos a contar nossas histórias também. No fundo do poço temos dúvidas de que nossa história possa interessar a alguém, muito menos a Deus ou a nós mesmos. Na verdade, aqueles que já atravessaram o imenso deserto têm coisas para dizer que ninguém mais realmente pode.

---

160 ibid.
161 Charles Spurgeon, Sword and Trowel 1869 (Ages Digital Library, 1998), p. 9.

1. *Contamos nossas histórias, não para parecermos simpáticos ou para roubarmos a história de outra pessoa para nossa própria atenção, mas para simpatizar, isto é, para sintonizar os sentimentos.* "A dor física aguda sucede a depressão mental, e esta é acompanhada pelo luto e pela aflição na pessoa de um querido nesta vida. As águas rolaram continuamente, onda após onda. Não menciono isso exatamente pela simpatia, mas simplesmente para deixar o leitor ver que sou marinheiro em terra seca (...) conheço o agitar das ondas e a força dos ventos."[162]

2. *Contamos nossas histórias, não porque desejamos essa experiência, mas porque tivemos essa experiência.* "'Bem', diz alguém, 'não quero experimentar esse tipo de sentimento'. Com certeza, não. Porém suponha que você o tivesse sentido, e na próxima vez que encontrar alguém que esteve preso no castelo do Gigante Desespero saberá como simpatizar com ele."[163]

3. *Contamos nossas histórias para que os sofredores saibam o que Jesus sente, não em relação às forças deles, mas para com suas enfermidades.* "A nossa dor, a nossa depressão, o nosso tremor, a nossa sensibilidade, Jesus é tocado por elas, embora não caia no pecado que muito frequentemente advém delas. Agarre rapidamente essa

---

[162] Charles Spurgeon, *Faith's Checkbook* (Ages Digital Library, 1998), p. 4.
[163] Charles Spurgeon, "A Stanza of Deliverance," MTP, vol. 38, Sermão 2241 (Ages Digital Library, 1998), p. 72.

verdade, pois em algum outro dia ela pode servir fortemente para o seu consolo. Jesus é tocado, não com o sentimento de sua força, mas de sua enfermidade (...) como a mãe que sente a fraqueza de seu bebê, assim sente Jesus em relação aos mais pobres, mais tristes e mais fracos".[164]

4. *Contamos histórias para prover a esperança real.* "Se você passou pela depressão da mente, e o Senhor apareceu para seu conforto, se exponha para ajudar outros que estão onde você costumava estar."[165]

RETORNANDO AO POEMA DE KENYON

Há algum tempo começamos com o poema de Kenyon. Ela falou sobre como a depressão arruína nossas maneiras para com Deus e como os teólogos de plantão arruínam suas maneiras para conosco. Maravilhamo-nos com o modo como Charles pôde sofrer de depressão como sofreu e ainda olhar para Deus como bondoso e presente em sua direção.

Talvez isto seja surpreendente para alguns de nós. Pensamos na Bíblia como um livro violento, em um Deus iracundo e em teólogos de plantão com suas torrentes de frases de efeito. Entretanto, Charles viu na Bíblia uma linguagem para os aflitos, uma advocacia ou defesa para barrar os ajudadores prejudiciais, e um varão de dores enviado por Deus

---

[164] Charles Spurgeon, "The Tenderness of Jesus," MTP, Vol. 36, Sermão 2148 (Ages Digital Library, 1998), p. 402.

[165] Spurgeon, "The Shank-Bone Sermon," p. 252.

a um mundo sem amor e pleno de lamentações, a fim de que aqueles sentados nas trevas pudessem finalmente sentir o lar para o qual foram criados e se regozijar com o sol novamente. Esse esquema ou plano mais remoto, essa história maior ou visão mais ampla, tornou-se o meio ao qual Charles diariamente recorria na iminência de seu desespero. Deus ofereceu uma razão para a esperança que atinge a intensidade de nossa razão para o desânimo.

De que forma, então, essa narrativa de Deus em Jesus molda a maneira como tentamos lidar diariamente com nossa depressão? Afinal de contas, nenhuma solução rápida ou refrãos desgastados funcionam, nem mesmo os religiosos. Portanto, que diferença em nossa vida diária essa narrativa nos oferece?

PARTE TRÊS

CONHECENDO FORMAS DE AJUDA PARA LIDAR DIARIAMENTE COM A DEPRESSÃO

Capítulo 9

PROMESSAS E ORAÇÕES

"Um unguento para cada ferida, um tônico para cada abatimento, um remédio para cada doença. Bem-aventurado é aquele que tem habilidades com a farmacologia celestial e sabe como se assegurar nas virtudes curativas das promessas de Deus!"[166]

Promessas podem despertar nosso cinismo. Outrora esperadas, agora se assemelham a moedinhas desprezíveis, recorte de papéis e parafusos sem destino que enfiamos em uma gaveta de tranqueiras qualquer. "Cessou perpetuamente a sua graça? Caducou a sua promessa para todas as gerações?", questiona o salmista em Salmos 77.8.

No entanto, a despeito de nossa dor, para nós, crentes que sofrem com a depressão, reorientar a vida ao redor do risco das promessas permanece algo necessário, mesmo que nosso relacionamento com tais promessas revele somente questões dolorosas com relação a elas. Por quê? Porque promessas de um certo tipo são como vozes de esperança realista que invadem a masmorra de

---

[166] Charles Spurgeon, "Obtaining Promises," MTP, vol. 8, Sermão 435 (http://www.ccel.org/ccel/spurgeon/sermons08.ix.html), acessado em 26/3/14.

nossos pensamentos. Elas são "preciosas e mui grandes", dadas por Deus como dádivas a nós. Nossa alma precisa delas.

No próximo capítulo, olharemos para as ajudas naturais que nos são disponibilizadas. Remédios, bom humor, descanso, comunhão com a natureza, banhos quentes, nutrição e planejamentos que se adequam aos nossos limites, somados à terapia e ao aconselhamento pastoral, provam-se úteis nas mãos do homem de dores.

Todavia, em primeiro lugar, vamos aprender ternamente no Senhor a reconhecer suas promessas como um farol penetrando os nossos oceanos noturnos.

ESCREVENDO MENSAGENS PARA NÓS MESMOS

Pode soar estranho, mas vamos querer aprender como falar com nós mesmos a respeito das promessas de Deus. Uma forma de fazê-lo é escrevendo lembretes para nós mesmos ou pedir a outros que o façam por nós.

Por exemplo, às vezes uma data no calendário evoca memórias dolorosas ou medonhas. Olhamos adiante no calendário e talvez imaginemos toda sorte de desgraça. Charles nos encoraja a escrever promessas nas margens de nossos calendários, tais como o Salmo 91.4: "Ele o cobrirá com as suas penas, e sob as suas asas você encontrará refúgio." (NVI). Em seguida, baseando-se nessas promessas, Charles declara: "Deixe que o amanhã desconhecido traga consigo o que puder. Ele não poderá nos trazer nada exceto aquilo que atravessaremos carregados por Deus."[167]

---

[167] Charles Spurgeon, "Safe Shelter," MTP, Vol. 15, Sermão 902 (Ages Digital Library, 1998), p. 787.

Charles também utilizou lembretes das promessas de Deus em sua casa. Durante um período de críticas cruéis e difamações públicas, Susannah, sua esposa, fez até um quadro da passagem de Mateus 5.11-12 e o pendurou no seu quarto, para que seu marido visse esta promessa de Jesus a cada manhã: "Bem-aventurados sois quando, por minha causa, vos injuriarem, e vos perseguirem, e, mentindo, disserem todo mal contra vós. Regozijai-vos e exultai, porque é grande o vosso galardão nos céus; pois assim perseguiram aos profetas que viveram antes de vós".

Charles suplicava aos demais que também vivessem pelas promessas de Deus. Encorajava-os a adquirirem uma cópia do livro *Preciosas Promessas*,[168] de Samuel Clarke, e mantinha sua própria cópia desse livro no bolso para que pudesse recorrer a ele quando a dor física e mental ou a ansiedade começassem a produzir suas odiosas amarras.[169] Este pequeno livro de promessas é organizado em títulos que indicam várias condições circunstanciais da vida. Sob o título de "Socorro na Tribulação", são listados textos das Escrituras como estes:

- "Ainda que eu passe por angústias, tu me preservas a vida". (Sl 138.7, NVI)
- "Ainda que a minha carne e o meu coração desfaleçam, Deus é a fortaleza do meu coração" (Sl 73.26)

---

168 http://whatsaiththescripture.com/Promises/Clarkes_Bible_Promises.html. *Nota do revisor*: "Preciosas Promesas da Bíblia" (Precious Bible Promises), também conhecido como "Promessas das Escrituras por Clarke", foi compilado por Samuel Clarke (1684-1759). A primeira edição foi publicada em 1720.

169 Eric W. Hayden, *Searchlight on Spurgeon: Spurgeon Speaks for Himself* (Pasadena, Texas: Pilgrim Publications, 1973), p. 178.

- "O Senhor ampara todos os que caem e levanta todos os que estão prostrados" (Sl 145.14 NVI)

A PROMESSA É UM COMBUSTÍVEL PARA A ESPERANÇA REALISTA

Que ajuda prática nos podem garantir as promessas? Primeiramente, carregar conosco promessas como essas nos torna substancialmente sensíveis para discernir qual é a voz de Deus em meio à torrente de vozes que competem por entrar pelas janelas bloqueadas de nossa mente. Ouvimos sua forte e também suave voz de amor, presença, propósito e verdade para nós em Jesus. Por meio da fé, nos reclinamos sobre as palavras de promessa de nosso amável Pai celestial, como fez Jesus quando o velho demônio o tentou no deserto. Enquanto a sibilante serpente sussurrava-lhe pensamentos para destruí-lo, o Salvador respondia: "Está escrito" (Mt 4.1-11).

Nós, em meio a nossos maus pressentimentos, também acorremos para a promessa do que está escrito e para a presença daquele que a escreveu. Ali ouvimos quem é Deus, qual é sua postura em relação a nós, e qual a visão e linha histórica mais ampla na qual se situa este nosso atual momento doloroso. Aprender a recontar as promessas de Deus como uma forma de vida nos permite ouvir mais prontamente a voz de nosso Pastor em meio aos nossos lobos que rosnam, mostrando suas presas.

Às vezes, as promessas de Deus aliviam nosso fardo mental. Elas "criam em nós uma elevação de espírito, uma vida que transcende os arredores visíveis, uma atitude mental calma e eterna."[170]. Elas existem como soldados da esperança realista que surpreendem nossos capturadores, cortam as cordas e fitas que nos cegam, removem a venda, nos olham bem nos olhos e nos dizem: "viemos para te levar para casa".

O alívio se instala, porque a promessa é como um combustível para a esperança realista. Tal "esperança, acesa por uma promessa divina, afeta a vida inteira de um homem em seus mais íntimos pensamentos, maneiras e sentimentos", diz Charles.[171] A esperança, nas bases de uma promessa, abre as cortinas da mente, permitindo que mais uma vez adentre o brilho do sol. Por uma hora, um dia, um ano, ou por um minuto apenas que seja, é prazeroso ver o sol.

Em outros momentos, as promessas ditas não trouxeram de forma alguma alívio qualquer que se pudesse perceber. Como um ventilador de brinquedo no deserto, suas baterias acabaram. Agarramo-nos ao ventilador de brinquedo enquanto o calor suga de nós a vida. Por experiência própria, Charles nos lembra que em tais tempos a eficácia da promessa de Deus não depende de nossa capacidade de senti-la ou vê-la, assim como a esperança do cativo em ser resgatado não depende de sua capacidade de se esforçar ou de reconhecer quem o está salvando, mas da capacidade do soldado em remover aquilo que o torna cego, carregando-o rumo à segurança. A promessa

---

170 Charles Spurgeon, *According to Promise* (Grace E-Books), p. 17 (http://grace-ebooks.com/library/Charles%20Spurgeon/CHS_According%20to%20Promise.PDF), acessado em 4/4/14.
171 ibid., p. 16.

por si só e aquele que a fez garantem uma âncora, embora às vezes nós mesmos nos sintamos entregues às ondas e desamparadamente desfalecidos em nossos barcos.

Por causa de Deus e de suas promessas, a esperança realista pode resistir, quase que em segredo, por debaixo das superfícies de nossas desgraças e mudanças de humor. Charles procura essa esperança dentro da própria pessoa, a despeito de suas tribulações. Ele aponta para essa esperança secreta comparando-a ao fato de tal pessoa parecer ou não ser alguém que, algum dia, manifestou conquistas morais. "A esperança secreta de um homem é um teste mais revelador de sua condição perante Deus, do que seus nobres atos de um dia, ou até mesmo suas devoções públicas de um ano."[172] Uma visão mais ampla e verdadeira que nosso humor e nossas misérias nos sustenta. Somos mais do que as provações, sentimentos ou escolhas momentâneas possam sugerir a nosso respeito.

PROCURAMOS POR CASOS SEMELHANTES NA BÍBLIA

Não somente aprendemos a escrever lembretes das promessas de Deus para nós mesmos, como nos tornamos mineradores de promessas dentro das recônditas páginas das Escrituras. Avançamos, desbravando a escuridão em meio à penumbra da noite. Por que procuramos por promessas na Bíblia? Porque Deus deu palavras de esperança e as tornou aplicáveis na satisfação das "inúmeras variedades de condições e seu povo.

---

[172] ibid., p. 17.

Nenhuma provação sequer passa despercebida, por mais peculiar que possa ser".[173]

O que procuramos no interior destas minas? Procuramos por "casos de outros crentes que sejam como o nosso (...) quanto mais exata a semelhança" de nossa situação com a deles, "maior será o conforto produzido". Quando encontramos esse tipo de situação parecida com a nossa própria, nos esforçamos "para obter mais luz daquela declaração particular da graça divina, aplicável a nós mesmos em nossas circunstâncias presentes."[174].

Nós evitamos a dissonância. Sabemos que não somos Moisés ou Ana, Maria ou Pedro. Suas missões foram únicas. Mas ressoamos empaticamente com a humanidade comum deles, suas emoções, pensamentos, falhas, provações e alegrias humanas comuns. Nós vemos como Deus se relacionou com eles de acordo com o que nos é comum. Nós confiamos que o caráter de Deus para com eles demonstrará o mesmo para conosco.

Desta forma, não tentamos nos enquadrar à força em histórias bíblicas. Da mesma forma que um minerador muitas vezes escava em um ponto promissor, apenas para ao fim não encontrar ali tesouro algum, nós também abraçamos as provações e o erro em nossa mineração bíblica. "Você experimenta uma ou outra das palavras inspiradas", diz Charles, "mas elas não se enquadram".

---

173 Charles Spurgeon, *According to Promise*, p. 73.
174 ibid.

A DEPRESSÃO DE SPURGEON

O coração aflito vê motivos para suspeitar que elas não são estritamente aplicáveis à presente situação, assim elas são deixadas no velho livro para serem utilizadas noutro dia, pois não são úteis na atual emergência. Você tenta novamente e, a seu tempo, uma promessa se apresenta, que parece haver sido feita especificamente para esta ocasião. Ela se encaixa de forma tão exata como uma chave apropriada se encaixa à fechadura para a qual originalmente fora preparada.[175]

Vamos parar por um momento a fim de aplicar o que Charles diz aqui a partir do próprio salmista. Considere o Salmo 77 como um exemplo. Esse salmo revela uma pessoa entrando em desespero, insone, encurralada, cujos pensamentos sobre Deus apenas acrescentam mais dor. Ele despeja suas perguntas a respeito da aparente ausência de Deus para com suas misérias. Contudo, em seguida, esse salmista em desespero começa a meditar em uma história que aprendera das Escrituras. Ele medita acerca da passagem em que os israelitas se encontravam paralisados junto a Moisés. À frente do profeta, o mar como uma muralha, e ele prestes a morrer nas mãos do exército de Faraó, às suas costas. Nenhuma saída se apresentou. O homem deprimido então narra para si mesmo uma visão mais ampla da história de Deus para consigo mesmo e para conosco, baseada em acontecimentos anteriores:

---

175 ibid.

Pelo mar foi o teu caminho;
as tuas veredas, pelas grandes águas;
e não se descobrem os teus vestígios.
O teu povo, tu o conduziste,
como rebanho,
pelas mãos de Moisés e de Arão. (Sl 77.19,20)

O homem deprimido viu a dissonância entre a história de Moisés e a sua. Ele não acreditava que Deus prometeu lhe abrir um mar como sinal de sua presença e amor. Entretanto, o homem deprimido pode, de fato, contemplar a repercussão de sua própria história de vida, de pé, junto daqueles que, há algumas gerações, encontravam-se encurralados diante do mar. O mesmo Deus que os livrou através das águas, sem deixar pegada alguma, poderia lhe demonstrar a mesma compaixão e livramento em sua própria situação encurralada. O caminho diante deles estava livre. O salmista abraça essa verdade para si. Deus, embora não visto, o livrará de sua posição estagnada. Ele tomou isso para si como um compromisso do caráter de Deus.

As passagens favoritas de Charles, para que aqueles que sofrem com depressão sempre revisitassem, incluíam o mancar de Jacó, as lágrimas de José, as agonias de Jó, os Salmos de Davi, o desejo de morrer de Elias, os lamentos bíblicos, o espinho na carne de Paulo e, assim como já vimos, a angústia de nosso Senhor no Getsêmani. Mas qual o propósito de encontrar tais promessas para a nossa situação? Isso não representaria apenas slogans de autoajuda ou clichês desgastados para cada dia?

SUPLICANDO PROMESSAS

A resposta de Charles é "não". A promessa não é tão somente uma palavra, mas sim a Palavra de Deus. Aceitar essa verdade é aceitar o próprio Deus. Ajudamos a nós mesmos lançando mão delas, porém a ajuda provida de forma alguma vem de nós mesmos.

Ao contrário, vivemos da mesma forma que aqueles antes de nós. Também podemos orar e clamar audivelmente em nosso relacionamento com Deus e com nossas desgraças. E esse é o grande objetivo das promessas: nos conduzir à oração. Expressamos nossa relação pessoal com Deus no mesmo instante em que vivenciamos nossa melancolia.

"O que é a oração", pergunta Charles, "se não a súplica pela promessa?". Em seguida ele nos diz qual sua maneira de entender a oração e as promessas que dizem respeito à vida:

> Eu gosto de, em tempos de tribulação, encontrar uma promessa que se ajusta perfeitamente à minha necessidade, e em seguida, colocar meu dedo sobre ela e dizer: "Senhor, esta é tua palavra; eu te imploro que proves que ela é mesmo tua, tornando-a real em meu caso. Eu creio que estas são tuas Escrituras, e oro para que a tornes boa para minha fé". Creio em uma inspiração

plenária e humildemente olho para o Senhor em busca de um cumprimento plenário de cada frase que Ele fez registrar.[176]

Uma promessa que Charles utilizou repetidas vezes em oração está em Salmos 103.13: "Como um pai se compadece de seus filhos, assim o SENHOR se compadece dos que o temem". Semelhantemente a Jesus, que nos ensinou a orar a nosso Pai celestial e amoroso, Charles comentou: "Quando estamos na mais profunda tribulação, ainda assim podemos dizer 'Pai Nosso', e quando está muito escuro e estamos muito fracos, nosso apelo infantil pode aumentar, 'Pai, ajuda-me! Pai, resgata-me!'".[177]

Deus diz que é como um pai que se compadece de nós em nossas fraquezas. Então apoderamo-nos de Deus e de sua palavra e suplicamos por essa promessa em oração. Procuramos por sua compaixão para que ela se manifeste no mesmo momento de nossa súplica.

Charles frequentemente contava uma história pessoal a respeito da súplica de seu ser por promessas, enquanto filho querido e amado de Deus. Quando não mais podia suportar o sofrimento sem chorar copiosamente, demolido por dores extremas, tanto físicas quanto mentais, em decorrência de sua doença de gota, sem nenhum momento de alívio ou de pausa, ele clamava ao Senhor, baseando-se nesta piedade prometida na Bíblia.

---

176 Charles Spurgeon, *According to Promise*, p. 42.
177 Charles Spurgeon, *C.H. Spurgeon's Autobiography 1856-1878*, p. 248. (http://books.google.com), acessado em 4/4/14.

A DEPRESSÃO DE SPURGEON

> Tu és meu Pai, e eu sou teu filho; e tu, como Pai, és terno e cheio de misericórdia. Não poderia suportar ver meu filho sofrer como Tu me fazes sofrer; e se o visse atormentado como estou agora, faria o que pudesse para ajudá-lo; colocaria meus braços por debaixo dele para o sustentar. Esconderás a tua face de mim, meu Pai? Ainda pesarás sobre mim a tua mão ao invés de conceder-me o sorriso de teu semblante?[178]

Naquela circunstância, foi dado a Charles um alívio inexplicável de modo que pôde descansar. Aqueles que depois o viram perceberam uma mudança notória em sua saúde e em seu semblante.

Suplicar por tais promessas e contemplar a resposta para tais súplicas pode nos garantir razões de gratidão e louvor tamanhas que posteriormente poderemos narrá-las a nós mesmos, a fim de evocar lembranças tremendas quando as coisas se tornarem novamente sombrias. Tais louvores e testemunhos acerca de misericórdias pregressas brilham sobre o oceano noturno, ainda que o nevoeiro cubra a luz como um véu. Mesmo encobertas para nós, elas ainda brilham na lembrança daquele que nos conhece. Resplandecem como testemunho de esperança garantida por Aquele que nos guarda.

Por essa razão, Charles doía-se por aqueles cujas tentativas de superação não incluíam essas promessas de Deus.

---

178 Charles Spurgeon, *C.H. Spurgeon's Autobiography 1856-1878*, p. 247.

Contudo, ele não desgastava tais promessas tornando-as banais. Falava das medicinais promessas como alguém que ainda não fora curado por completo de suas doenças físicas e mentais. De dentro do oceano noturno, apontava para o holofote que atravessava suas trevas e névoas. Deste modo, aprendemos sobre a fé resoluta de um homem quebrantado e vemos a fé daquele que tem esperança.

O QUE APRENDEMOS?

(1) *Promessas não são mágicas*. Elas se assemelham mais a cartas de amor do que a feitiços, mais a afirmações de verdades do que a passes espirituais de imunidade. Elas frequentemente forjam não uma trilha para escapar da vida, mas uma capacitação para sobreviver ao que nos ataca violentamente.

(2) *Promessas distinguem-se de nossos desejos*, à mesma medida que nossos desejos são ternos e valiosos para Deus. Oramos com sinceridade a respeito de nossos desejos e de forma particular por nossos amados, porque conhecemos o coração misericordioso que Deus tem para nós e para eles. O que queremos e o que Deus prometeu nem sempre serão a mesma coisa.

(3) *Promessas devem ser realmente Promessas*. Não somente devemos fazer distinção entre aquilo que é nosso desejo e aquilo que é uma promessa de Deus, como também precisamos de ajuda para nos certificar de que aquilo para o qual estamos nos inclinando realmente é algo que Deus prometeu. Por exemplo, Charles não cria que Deus prometeu garantir nossos desejos por riqueza, saúde, imunidade a coisas como provações, dores ou

ainda a morte. O que Deus nos prometeu é que estaria conosco, que choraria conosco, celebraria conosco, nos ajudaria, fortalecendo-nos para jamais desistirmos de sobreviver a qualquer mal ou coisa terrível que nos sobrevenha. As promessas do tipo "conosco; por nós; entende-nos; nada nos pode separar" são como cerejas maduras e prontas para serem saboreadas. Promessas de saúde, riquezas e imunidade são como goiabas bichadas; parecem boas até que as mordamos mais profundamente.

(4) *Promessas nos redirecionam para Jesus.* No homem de dores, a cruz e a vitória do túmulo vazio nos prega a respeito do sofredor que é Rei. As promessas de Deus são "um sim e um amém" no Senhor (2Co 1.20). Ele dará a palavra final. Ele é o resgatador que, a despeito de nossa limitação em segurarmos firme, nos olha nos olhos e diz: "Eu vim por você. Nosso lar nos aguarda. Nada nos separará novamente. Nada".

Capítulo 10

AJUDAS NATURAIS

"*Nós precisamos de paciência para sustentar a dor e de esperança para suportar a depressão do espírito (...) nosso Deus (...) tornará mais leve o fardo ou mais fortes as costas; diminuirá a necessidade ou aumentará o suprimento*"[179]

Nós nos reunimos, formamos um círculo, todos de pé acompanhando as paredes da sala recentemente renovada. Nossas lágrimas e soluços rememoravam o jovem veterano de guerra que pôs um fim em sua própria vida um ano antes naquela mesma sala. Um a um, amigos, familiares e vizinhos disseram palavras de agradecimento por seu falecido amigo.

Por meses, essa sala tinha ficado vazia. Ninguém se aventurou por ali. Dor e imaginação incomodavam e assombravam o pensamento. Afinal de contas, horrores haviam ocorrido bem ali, onde a Bíblia estava aberta sobre a mesa. Mobílias e carpetes haviam sido desfigurados e levados para fora, sem que ninguém visse, durante a noite.

---

179 Charles Spurgeon, *Sword and Trowel*, Janeiro de 1877 (Ages Digital Library, 1998), p. 15.

A DEPRESSÃO DE SPURGEON

Mas agora, um ano depois, a sala estava como nova mais uma vez. Velhas lembranças se deparavam com tentativas de esperança. Entramos e andamos pela sala. Choramos e oramos.

A família havia pedido que eu lesse a Bíblia e lhes oferecesse algumas palavras. Poucos minutos após ter iniciado, ouvi alguém rir baixinho. Continuei lendo e explicando, e outra pessoa riu, e então outra. Comecei a me sentir desconfortável. Continuei a ler solenemente. Em seguida, como se balões de hélio fossem libertos de seu saco plástico, uma onda de risadas irrompeu dentro daquela sala! Todos estavam rindo, exceto eu com minha Bíblia e minha expressão solene. Parei quando uma pessoa se desculpou e, envergonhada, explicou:

"Pastor, desculpe-nos. Não é você (risadinhas e grunhidos). Por favor, prossiga com a leitura (mais risadas e grunhidos). Você veja, Jerry acidentalmente soltou uns gases um minuto atrás (muitas risadas e grunhidos). E, digamos, a expressão facial dele ao tentar evitar isso e a sua expressão facial enquanto lia a Bíblia para nós, digamos..."

Nesse instante, todos nós rompemos juntos em gargalhadas. Nada mais precisava ser dito. Rimos e rimos. Pouco tempo depois, nos recompomos, assoamos os narizes e abraçamos uns aos outros sorrindo. Rapidamente voltei a ler sobre as promessas de Deus. De alguma forma, a solenidade brotou de um solo de memórias terríveis no ar presente da vida humana. O riso ofereceu às nossas lágrimas uma oportunidade de respirar.

O REMÉDIO DO RISO

Ao longo de muitos anos dedicando tempo aos pesares das pessoas, percebi que frequentemente o riso reluz com intermitência em meio às ondas de lágrimas, quando amigos se reúnem, lamentam juntos e compartilham histórias. Você também já percebeu isso?

Charles cita Provérbios 17.22: "O coração alegre é bom remédio". E aplica essa sabedoria não somente ao luto, mas à depressão. "A animação carrega prontamente fardos", diz ele, "que o desânimo não ousa tocar".[180]

Esse homem melancólico parecia procurar humor onde o pudesse encontrar. A crítica que recebeu por seu humor no púlpito, particularmente pela coleção de anedotas humorísticas que ele reuniu no livro *John Ploughman Talks* e pela coleção de citações e provérbios populares no livro *Salt Cellar*, bem como a busca intencional de Charles por bom ânimo onde pudesse encontrar, são bem descritas por seu amigo William Williams:

> Que fonte borbulhante de humor tinha o Sr. Spurgeon! Creio piamente que ri mais à sua companhia do que em todo resto da minha vida. Ele tinha o mais fascinante dom do riso (...) e também tinha a enorme capacidade de fazer todos os que o ouviam rir com ele.[181]

---

180 Charles Spurgeon, "Bells for the Horses," Sword and the Trowel (http://www.spurgeon.org/s_and_t/bells.htm), acessado em 19/3/14.
181 Larry J. Michael, "The Medicine of Laughter: Spurgeon's Humor," (http://www.InternetEvangelismDay.com/medicine.php#ixzz2wRAfObT2), acessado em 19/3/14.

A DEPRESSÃO DE SPURGEON

Um dos primeiros biógrafos de Charles o comparou a Abraham Lincoln, por causa da melancolia que tinham em comum e também pela introspecção de seu estado de humor.[182] Esses dois homens valentes tinham algo a mais em comum. Compartilhavam uma forma de vida em que o bom humor era buscado e coletado a fim de dar vazão a seus temperamentos e tristezas.[183] Também podemos nos tornar coletores diários de histórias animadoras e anedotas para dar escape à nossa tristeza. Embora a morte invada o nosso quarto, risadas e calor humano não precisam fugir dele. A seu tempo, mesmo após a pior geada e frio, a primavera ainda assim chega.

Além de promessas, orações e a ajuda graciosa do homem de dores, aqueles que sofrem de depressão, seja ela sazonal ou crônica, podem buscar um estilo de vida que, ao invés de agitar, acalme sua tristeza. O mesmo Salvador que nos sustenta também nos provê uma coleção de auxílios para nosso uso. Além do humor comum, Charles resume essa coleção de auxílios como: "mais do que qualquer remédio, estimulante, tônico, ou preleções, recomendo horas de quietude em retiros"[184].

Vamos observar esses auxílios e seus convites para remodelar a forma como vivemos o dia. Começaremos com a sua última recomendação: "horas de quietude em retiros".

---

182 Justin D. Fulton, *Charles H. Spurgeon: Our Ally* (Philadephia: H.J. Smith & Co., 1892), p. 256.
183 Shenk, *Lincoln's Melancholy*, p. 113.
184 Charles Spurgeon, "Bells for the Horses," Sword and Trowel (http://www.spurgeon.org/s_and_t/bells.htm), acessado em 14/3/14.

HORAS DE QUIETUDE EM RETIROS

Em 1879, contra seus próprios desejos, Charles foi forçado a tirar um período de licença de três meses. Todos os que falaram em seu lugar descreviam as "demandas exercidas sobre seu coração e mente", que aumentaram a pressão sobre ele. A "mente e o espírito" de Charles afundaram "em uma depressão dolorosa", da qual "não haveria recuperação se não por meio do descanso".[185] Ele encontrou descanso prolongado em Menton, França.

Ao longo dos anos, embora muitas vezes tenha resistido ao fato de que tinha que fazê-lo, Charles organizou em sua vida temporadas anuais de exílio de inverno para aquela terra de sol e flores. A "comunhão com a natureza", como a chamava, aliviou a tristeza e a fadiga, que o nevoeiro, a geada e a umidade londrinos agitavam em meio à dor do trabalho. Os dias frios e chuvosos de inverno agiram sobre sua "estrutura frágil" como "a atmosfera opera sobre um barômetro. Dias nublados e sombrios o deprimiam."[186]

Psicólogos da época recomendavam a prática de "remoção de um paciente, afastando-o dos cuidados com os negócios ou das angústias familiares em seu entorno, para uma casa alegre no campo, com novas cenas, novos rostos, novos objetos de atenção e temas para reflexão."[187].

---

185 Charles Spurgeon, *Sword and Trowel 1879* (Ages Digital Library, 1998), p. 522.
186 Charles Spurgeon, *Autobiography Vol. 4* (http://www.grace-ebooks.com/library/Charles%20Spurgeon/CHS_Autobiography/CHS_Autobiography%20Vol%204.PDF), p. 362. acessado em 17/3/14.
187 Bucknill, *A Manual of Psychological Medicine*, p. 500.

A DEPRESSÃO DE SPURGEON

Embora tenha sido uma luta para ele, Charles também começou a se render aos limites impostos em relação ao trabalho, como dizer "não" às viagens extras e às oportunidades de preleções, embora isso fosse uma luta para ele.

> A escolha parece estar entre ser deixado de lado muito frequentemente por conta da depressão do espírito e das dores do corpo, ou manter com constância os deveres de casa. Preferimos a segunda opção, porque esperamos que a calma comparativa possa trazer maior força para futuras tentativas.[188]

A tentativa de descanso e de encontrar uma rotina com a natureza não resultou em dias sem trabalho. Na verdade, o trabalho de Charles explica muito sobre seu altruísmo, seu lembrete de que nossa enfermidade não diminui nossa contribuição e, ademais, a necessidade regular de repouso. O ponto é que a sua luta com tais rotinas resultou em um modo diferente de trabalho. Quanto mais pudesse abraçar essas rotinas, melhor elas se adaptariam à dor de sua mente e de seu corpo.

Sob essa luz, enquanto esteve em Menton, Charles frequentemente ensinava, escrevia e, com raridade, de um modo dramaticamente limitado, se encontrava com visitantes e aconselhava pessoas. Em uma geração em que os medicamentos

---

188 Charles Spurgeon, *Sword and Trowel*, Julho de 1877 (Ages Digital Library, 1998), p. 161.

existentes eram grosseiros e pouco úteis, Charles recomendou, principalmente, a natureza e o descanso como formas de cura. O que isso significa para aqueles que sofrem e para aqueles que vivem em meio ao sofrimento?

1. *Encontre meios de entrar em contato com a natureza e com a luz do sol.* Esse é "o melhor remédio para hipocondríacos, o tônico mais seguro para os que definham e o melhor refresco para os cansados."[189]
2. *Leve seus ritmos sazonais mais a sério*: preste atenção a como o tempo, o trabalho e o descanso funcionam em relação à sua melancolia. "O descanso é o melhor, se não o único remédio para aqueles ocupados com atividades mentais e sujeitos à frequente depressão do espírito."[190]. Segundo esse critério, "saiam, ó filhos da tristeza, de suas distrações habituais para uma temporada se puderem, e aproveitem a quietude e o repouso". A congregação em Londres aprendeu a aceitar essa limitação humana de seu pastor e a abraçá-la como parte de sua vida de frutos e de ministério.
3. *Limite seu trabalho a algo que você possa fazer de modo saudável e divida seu dia em porções menores.* "A melhor coisa do mundo, quando você está nervoso e perturba-

---

189 Charles Spurgeon, *Lições aos meus Alunos Vol. 1 e 2* (São Paulo: Editora PES).
190 Charles Spurgeon, "A Sermon for the Most Miserable of Men," MTP, Vol. 15, Sermão 853 (Ages Digital Library, 1998), p. 80.

do, é viver por períodos delimitadamente curtos (...) viver a cada dia, ou melhor ainda, viver momento a momento."[191]

Às vezes isso nos causa dor e àqueles que vivem conosco, mas nós sofredores não conseguimos manter a velocidade que a eficiência e os outros requerem de nós, ao menos não por muito tempo. Nós nos demoramos mais e prosseguimos mais devagar em tudo, estrategicamente de acordo com nossa força. Entretanto, esse ritmo torna viável o que de outra forma não seria, e produz frutos que, de outra maneira, não seríamos capazes de produzir. A vida melancólica prospera quando se assemelha a uma maratona em vez de a uma corrida de velocidade. Isto é, quando corremos com explosão em uma corrida de velocidade, apenas necessitaremos descansar mais frequentemente. Você não precisa mais tentar fazer "o máximo de coisas" da "maneira mais rápida". Resistir a isso é ter temporadas de descanso nos momentos em que a natureza está sob colapso.

MEDICAMENTOS

Natureza e descanso não são os únicos medicamentos. As substâncias químicas utilizadas na depressão têm nomes como "amitriptilina, maprotilina, doxepina, cloridrato de desipramina, fluoxetina, carbonato de lítio, alprazolam, bupropiona,

---

[191] Charles Spurgeon, "The Saddest Cry from the Cross," MTP, Vol. 48, Sermão 2803 (Ages Digital Library, 1998), p. 663.

tranilcipromina, fenelzina, cloridrato de sertralina",[192] escitalopram ou metilfenidato.

Na vida de Charles, fármacos para a melancolia também existiam. Tais drogas também possuíam nomes, como Tartarato de Antimônio, Calomelano, Morfina, Ópio e Láudano. O que Charles tomou para sua depressão, se é que tomou algo, é desconhecido para mim. Ele normalmente falava sobre opiáceos ou láudano como uma metáfora para aspectos negativos e prejudiciais na vida espiritual. Contudo, o que sabemos com certeza é que quando Charles menciona medicamentos, ele nos ajuda em nosso semelhante sofrimento de, pelo menos, três formas.

Primeiro: ingerir medicamentos é um ato sábio de fé, não de descrença. "Do mesmo modo que não seria sábio dispensar o açougueiro e o alfaiate e esperar ser alimentado e vestido pela fé, não é sábio viver sob uma suposta fé e dispensar o médico e seus medicamentos". "Fazemos uso de medicamentos, mas esses não podem fazer nada fora do Senhor, 'que cura todas as nossas doenças'."[193] Da mesma forma, quando apela para Tiago 5.14-15, Charles observa que "quando o Espírito Santo falou a respeito de homens doentes, certamente aconselhou que medicamentos e oração deveriam ser utilizados para a sua melhora."[194].

---

[192] Kenyon, *op. cit.*, p. 232. *Nota do revisor*: O original traz alguns dos conhecidos nomes comerciais das substâncias, como patenteadas por laboratórios químicos.
[193] Charles Spurgeon, "Amado, porém afligido," Vol. 26, Sermão 1518 (http://www.projetospurgeon.com.br/2012/01/amado-porem-afligido/).
[194] Charles Spurgeon, "The Oil of Gladness," Vol. 22, Sermão 1273 (http://www.spurgeon.org/sermons/1273.htm), acessado em 14/3/14.

Segundo: Charles fez, ele próprio, uso de medicamentos e pílulas.[195] "Você nunca notou que algumas pessoas doentes que necessitam tomar pílulas são tolas o suficiente para mastigá-las? Essa é uma coisa muito nauseante de se fazer, embora eu mesmo a tenha feito."[196].

Terceiro: ele acreditava que a medicina por si só não era o suficiente. Oração, natureza, descanso, estimulantes, tônicos e preleções também continuavam necessários. À época, a teoria psicológica assumia que os medicamentos poderiam ajudar, porém não agiam sozinhos no tratamento da maioria dos casos.

Ao contrário, somados ao tratamento médico, um paciente necessitava de auxílios "higiênicos" e "morais". "Auxílios higiênicos incluíam banhos mornos ou termais, compressas geladas, remoção para o campo e sono ininterrupto. Auxílios morais incluíam o que hoje nos referimos como terapia e cuidado pastoral. A experiência da maioria dos pacientes evidenciou essa necessidade de um tratamento de múltiplas abordagens."[197].

Nos dias de hoje, as medicações avançaram dramaticamente. Todavia, enquanto essas drogas oferecem ajuda substancial, alguns pacientes com depressão crônica podem se cansar de se sentirem acorrentados por anos aos remédios. Alguns encontram ajuda, mas de tal forma que aspectos da sua

---

195 Spurgeon, *Autobiography*, p. 369.
196 Charles Spurgeon, "Salvation by Knowing the Truth," MTP, Vol. 26, Sermão 1516 (http://www.spurgeon.org/sermons/1516.htm), acessado em 19/3/14.
197 Bucknill, *A Manual of Psychological Medicine*, p. 498.

personalidade, valorizados por eles, são embotados ou tornados ineficazes. Outros declaram que a medicação não parece ajudá-los de forma alguma.[198] Em suma, medicamentos para nossas enfermidades do corpo e da mente são um auxílio e um dom, mas mesmo nossos melhores medicamentos permanecem limitados. Remédios nos ajudam, porém raramente isolados de outros auxílios.

Consequentemente, Charles falou com frequência de outros tipos de "remédios", além de produtos farmacêuticos, aos quais não devemos ignorar.

ESTIMULANTES, TÔNICOS, (DIETA) E PRELEÇÕES

O *Manual de Medicina Psicológica*, de 1858, reconhece o auxílio à melancolia na forma de estimulantes, tais como vinho do Porto ou um coquetel de *Egg Flip* (um coquetel de *Egg Nog* morno, misturado com cerveja inglesa e rum).[199] Similar a esses, havia um tônico, ao qual normalmente se referiam à época como um xarope ou bebida, mas nem sempre contendo algum tipo de álcool ou opiáceo. Num período em que sanguessugas ainda eram colocadas no couro cabeludo humano, e que o sangramento com uma lanceta ainda era utilizado (embora de modo controverso), medicamentos, repouso e dieta foram complementados com o uso estratégico do álcool.

Este aspecto da vida de Charles despertou controvérsia contínua. Alguns, desejosos de provar que Charles se abstinha

---

198 Shenk, *Unholy Ghost*, p. 254.
199 *A Manual of Psychological Medicine*, 1858, pp. 532-33.

de álcool, ressaltam o seu apoio ao movimento contra o alcoolismo denominado "Movimento de Temperança", juntamente com o uso que fazia do suco de uva à mesa de comunhão. Outros apontam para o seu envolvimento com bebidas quando era jovem. Adicione-se a isso o uso de charutos como estimulante, e o leitor entenderá por que, neste exato momento, alguém está pronto a analisar cada palavra minha e decidir o mérito deste livro pelas próximas frases que escreverei.

Esse assunto também nos tenta. Muitos dos que lutam contra as terríveis misérias da depressão, muitas vezes, se voltam para a intoxicação por drogas ou álcool como uma forma de atenuar a dor. Por um momento, este torpor ajuda. Mas ao longo do tempo, a adição do vício à depressão só aumenta a dificuldade e a luta. Em pouco tempo, a vergonha da depressão tem de compartilhar o leito com a vergonha da dependência. Não é de se admirar que a carga se torne tão pesada e a cama se torne uma corrente a nos aprisionar.

Dada a quantidade de miséria física e mental que Charles vivenciou em meio a um contexto limitado de auxílio médico, não é de se espantar o uso apropriado de estimulantes e tônicos.

- *Em contraste com os opiáceos e com o láudano, que usou apenas em termos negativos, Charles utilizou regularmente estimulantes e tônicos como metáforas para descrever aspectos positivos da vida cristã, como avivamento e encorajamento. As palavras "estimulante" e "tônico",* portanto, não ofendiam intrinsecamente a si mesmo ou aos seus ouvintes Batistas à época. Outros tipos de estimulantes e tônicos existentes eram aceitáveis e vistos positivamente.

- *Charles fez uso de estimulantes medicinais receitados por médicos.* Em 1892, o irmão de Charles, James, escreveu: "Posso lhe assegurar que meu irmão Charles foi e permaneceu até sua morte sendo um abstêmio de bebidas fortes de caráter inebriante. Não tenho dúvidas de que os médicos possam lhe ter dado alguma forma de estimulante e, em tais circunstâncias, ele iria tomar qualquer medicamento prescrito, mas, caso contrário, nunca tomou nada nesse formato ou tipo. Quem quer que diga que ele o fez, fala erroneamente"[200]. Charles não escolheu o álcool ou a embriaguez como sua maneira de lidar com os problemas. Muitos foram e têm sido picados pelo vazio deixado por tais substâncias. Embora, durante algum tempo, elas tenham entorpecido sua dor, também lhes roubaram outras alegrias. Por outro lado, o uso responsável e medicinal de estimulantes em medida correta se provou uma ajuda para Charles, e pode, de igual modo, sê-lo para nós.
- *Antes que eventualmente parasse com a prática, Charles fez uso de charutos de maneira semelhante.* "Quando encontrei alívio para a dor intensa, um calmante para o cérebro cansado e um sono refrescante e calmo obtido

---

[200] Fulton, *Charles H. Spurgeon: Our Ally*, p. 263.

- por um charuto, me senti grato a Deus, e bendisse o seu nome."[201]
- *Charles também fez uso de banhos termais como um estimulante.* O Manual de Medicina Psicológica prescrevia banhos quentes com compressas frias para a cabeça. Charles utilizava esse tipo de banho hidropático.[202] Banhos quentes, diários ou oportunos, inseridos em nossa rotina podem ser úteis para alguns.
- *Atenção à alimentação e jejum também compunham a ajuda medicinal para as dores de Charles.*[203] Os alimentos têm o seu próprio impacto sobre nossa mente e corpo. A atenção para seu papel em nossa ansiedade mental vale a pena.

Além do auxílio da natureza, do descanso, dos medicamentos, do riso, dos estimulantes e dos banhos prescritos, Charles também mencionou o benefício das palestras como ajuda em meio ao nosso sofrimento. Palestras se referem à instrução e conversa. Terapia, cuidado pastoral, sermões, ensino, educação e conversação, esses auxílios verbais são importantes. A maior parte deste livro, até este ponto, tem se centrado sobre o que dizemos ou precisamos ouvir acerca da depressão em suas diversas formas.

---

201 Charles Spurgeon, Carta Pessoal ao Daily Telegraph, 23 de setembro de 1874 (http://www.spurgeon.org/misc/cigars.htm).

202 Spurgeon, *Autobiography*, (http://www.cblibrary.org/biography/spurgeon/spurg_v2/spau2_18.htm), acessado em 19/3/14.

203 Spurgeon, *Autobiography*, p. 369.

Entretanto, até mesmo os sermões, *workshops* e sessões de aconselhamento têm seus limites. "Homens doentes querem mais do que instrução", nos lembra Charles. "Eles requerem nossas cordialidades [com o que ele quer dizer encorajamento] e suporte".[204] Sem este reconhecimento de múltiplos auxílios, até mesmo os psicólogos da época concordaram: "um clérigo pode ser um teólogo letrado, mas impotente como pastor"[205]. Se oferecemos apenas oração e sermão para amparar o sofrimento mental do nosso próximo, subestimamos as necessidades do complexo corpo-alma e os diversos presentes na natureza que Deus misericordiosamente tem provido.

O Salvador por meio de quem nossas almas encontram ajuda é o mesmo por quem todas as coisas foram criadas. As ajudas naturais de sua criação se juntam com promessas e oração para forjar uma maneira preferencial de rotina e de vida, propícia à nossa força.

O EFEITO CARLINI

Em seu sermão *A Sacred Solo*, Charles narra a história de um homem que procurou um médico. Ele esperava que o médico lhe prescrevesse medicamentos para ajudar em suas depressões de espírito e desânimo habituais. O médico de fato forneceu o medicamento, porém, também sugeriu que ele fosse ao teatro para ouvir Carlini, cujo humor, diversão e brincadeiras eram de

---

204 Charles Spurgeon, "The Glorious Master and the Swooning Desciple," Vol. 18, Sermão 1028, MTP (http://www.spurgeon.org/sermons/1028.htm), acessado em 14/3/14.
205 *A Manual of Psychological Medicine 1858*, p. 548.

renome. "Se Carlini não puder tirar a tristeza de você, ninguém o fará!", exclamou o médico. "Ai de mim! Senhor", disse o paciente, "eu sou Carlini".[206]

Medicamentos, bom humor, descanso, natureza, banhos, dieta, planejar nossos dias de acordo com os nossos limites, terapia e aconselhamento pastoral, tudo isto nos é dado para nosso auxílio e nos oferecem grande ajuda. Aprendemos a alterar e a reorientar nossos dias em torno do uso sábio desses bons presentes. Às vezes, Charles lutou e resistiu a eles. Em outras ocasiões, seu excesso de trabalho, sua dieta e repouso insuficientes o forçaram a depender de tais apoios.

Entretanto, essas ajudas não podiam funcionar por si só. Esses apoios precisam uns dos outros e também dependem do "homem de dores". Charles sabia disso e, agora, nós também sabemos. Os dons comuns que muitas vezes ignoramos se tornam, neste momento, a própria ajuda da qual dependemos. Não nos envergonhamos. Somos sábios. Não somos lentos e atrasados. Estamos buscando uma capacidade para o sentido, beleza, profundidade e realidade que poucos de mente esclarecida param a fim de aprender.

---

[206] Charles Spurgeon, "A Sacred Solo," MTP, Vol. 24, Sermão 1423 (Ages Digital Library, 1998), p. 498.

Capítulo 11

O SUICÍDIO E A ESCOLHA PELA VIDA

"Considerando os problemas desta vida, pergunto-me todos os dias por que não há ainda mais suicídios."[207]

Às vezes, o desânimo rejeita nossa percepção da ajuda de Deus. Existem no "homem de dores" razões concretas para se ter esperança, mas "infelizmente, quando se está em depressão profunda, a mente esquece tudo isso, consciente apenas de sua indescritível miséria"[208]. Sermões provam-se difíceis de suportar. O amigo que cita versos parece aquele que grita com alguém que sofre de enxaqueca. Promessas e orações se esvaem. Descanso, medicamentos, banhos, humor ou conversas se tornam vazios.

Conscientes apenas de nossas misérias, nos tornamos como aqueles que amam uma pessoa sem que esse amor seja

---

207 Charles Spurgeon, "Chastisement," NPSP, Vol. 1, Sermão 48, The Spurgeon Archive (http://www.spurgeon.org/sermons/0048.htm), acessado em 13/12/13.
208 Spurgeon, "Israel's God and God's Israel," MTP, Vol. 14, Sermão 803, p. 238.

correspondido. E o que é pior, para concluir a metáfora, temos de ouvir calados que essa pessoa a qual amamos se casa com outra e segue feliz com a vida, sem nós. Recebemos o convite do casamento e tentamos comparecer. Porém toda a conversa amorosa e intimidades, os brindes e brados de seus familiares e amigos, apenas amplia a ausência, a ansiedade e a rejeição com as quais temos de viver. O que nos acontece em relação a Deus é semelhante a isso. Tomamos a palavra que nos foi dada pelo Salmista: "Lembro-me de Deus e passo a gemer; medito, e me desfalece o espírito" (Sl 77.3).

"Há momentos", portanto, "quando todas as nossas evidências" em relação a Deus "são encobertas, e nossas alegrias se afugentam, embora ainda possamos nos apegar à cruz, o fazemos como que em um abraço desesperado"[209].

O DESEJO DE MORRER

Posso dizê-lo claramente? Às vezes, em nossa depressão, nós, ou aqueles que amamos, queremos morrer. Nenhuma quantidade de promessas ou orações, medicamentos ou banhos quentes pode nos fazer imunes a esse desejo. Como o homem de dores, estamos desgastados e exauridos. Contudo, ao contrário dele, perdemos de vista a alegria colocada diante de nós. Não mais conseguimos nos manter na visão mais ampla ou história maior, e ainda permanecemos completamente conscientes de um acúmulo de angústias. Abrimos mão da esperança. Ou escolhemos ter esperança na morte ou em Jesus

---

209   Spurgeon, "The Frail Leaf," p. 590.

para além do túmulo. Nós, os que permanecemos, lamuriamos em choque e perda.

Charles conhecia esse desejo pela morte. Ele encontrou, para ela, linguagem na história de Jó, cuja profunda descrição da miséria não só revela por que, em nossas aflições do corpo e da mente, desejaríamos morrer, mas também revela a misericórdia manifesta de Deus que inspiraria tais palavras de sofrimento, chamando-as de Escrituras.

> Assim me deram por herança
> meses de desengano e noites de aflição me proporcionaram.
> Ao deitar-me, digo: quando me levantarei?
> Mas comprida é a noite,
> e farto-me de me revolver na cama, até à alva.
> A minha carne está vestida de vermes e de crostas terrosas;
> a minha pele se encrosta e de novo supura.
> Os meus dias são mais velozes do que a lançadeira do tecelão
> e se findam sem esperança...
> os meus olhos não tornarão a ver o bem...
> Dizendo eu: consolar-me-á o meu leito,
> a minha cama aliviará minha queixa,
> e então, me espantas com sonhos
> e com visões me assombras;
> pelo que a minha alma escolheria, antes, ser estrangulada;

antes, a morte do que essa tortura.
Estou farto da minha vida...
Que é o homem, para que...
cada manhã o visites
e cada momento o ponhas à prova?
Até quando não apartarás de mim a tua vista?
Até quando não me darás tempo de engolir minha saliva? (Jó 7.3-19)

Charles recorre a essas palavras sagradas de angústia. Ele as aplica a si mesmo de modo que aqueles que querem morrer encontrem em seu pregador alguém que os entenda. Eu também "poderia dizer com Jó, 'a minha alma escolheria, antes, ser estrangulada; antes a morte do que esta tortura'." – testemunhou Charles. "Eu poderia facilmente ter enfiado as mãos violentas sobre mim para fugir da minha miséria."[210]

Na verdade, Charles deixa claro que sentiu esse desejo mais de uma vez. Ao se referir à oração que Elias fez para morrer em 1 Reis 19.4, refere-se à sua própria experiência dizendo: "Conheço alguém que, na amargura de sua alma, frequentemente orou dessa forma."[211].

AFIRMANDO A SANIDADE DE QUERER MORRER
Com esperança, Charles nos fala de seus próprios desejos de morrer, para que possamos ser ajudados a entender que nessa

---

210 Charles Spurgeon, "The Shank-Bone Sermon; Or, True Believers and their Helpers," MTP, Vol. 36, Sermão 2138 (Ages Digital Library, 1998), p. 252.
211 Charles Spurgeon, "Elijah Fainting," MTP, Vol. 47, Sermão 2725 (Ages Digital Library, 1998), p. 273.

experiência não estamos sozinhos. Ele vai ainda mais longe ao afirmar que existem neste mundo e em nossas vidas misérias piores que a morte. Voltando-se para o Salmo 88, que descreve o que sentimos quando a escuridão se torna nossa única companheira, Charles declara que uma miséria "pior do que a morte física lançou sua sombra pavorosa sobre nós". Nesses casos, ele reconhece que "a morte seria recebida como alívio por aqueles cujos espíritos deprimidos fazem de suas existências uma morte em vida".[212]

"A minha alma está profundamente triste até à morte" (Mt 26.38). Ao olhar para Jesus, quando nosso Senhor pronunciou tais palavras, Charles evidencia ainda mais a sensação de que a morte é uma dor inferior. Nessa cena, Charles encontra mais um testemunho e uma descrição do motivo pelo qual a morte oferece alívio. Somos tão fracos que mal reconhecemos que estamos, de fato, vivendo. Sentimos como se estivéssemos "meramente vivos". Gostaríamos de poder ficar inconscientes, porque a consciência que possuímos é extremamente dolorosa.[213]

Em outras palavras, Charles abordou nosso desejo de morte em meio às nossas dores, não com uma crítica distante ou com um calejado teste para verificação de fé, mas com profundidade e afirmação. Por quê? Para entender e ser entendido.

Ao nos lembrar de Elias, por exemplo, Charles responde dizendo: "foi a coisa mais racional do mundo para Elias ficar pro-

---

[212] Charles Spurgeon, Psalm 88, *Treasury of David*, The Spurgeon Archive http://www.spurgeon.org/treasury/ps088.htm, acessado em 13/12/13.
[213] ibid.

fundamente deprimido e desejar morrer".[214] Suas misérias não eram ilusórias, mas reais. Seu desejo pela morte não revelou sua insanidade, mas demonstrou o contrário. "Um desejo de partir, quando surge da sabedoria, do conhecimento e de um levantamento geral das situações, é muito apropriado"[215], sugere Charles.

Do mesmo modo como Jó pergunta a Deus "Queres aterrorizar uma folha arrebatada pelo vento?", Charles defende os aflitos e afirma a razoabilidade da questão. Aqueles "acometidos de doença, aferroados pelo remorso e afligidos com dores agudas e angústias" podem, compreensivelmente, sentir que, se sua "aflição continuasse por muito mais tempo, seria melhor para eles morrer do que viver."[216].

Já notamos as irracionalidades acendidas pela depressão. Terrores imaginários, lembranças terríveis, tragédias presumidas que nunca chegaram a acontecer podem assediar nossos pensamentos como a árvore do outro lado da janela que confundimos com alguém nos espiando. Entretanto, Charles nos lembra que a angústia, por si só, mesmo quando causada por sofrimentos imaginários, permanece real. "Algumas pessoas são excessivamente nervosas: elas têm medo de que os céus vão cair ou a terra vá rachar". É claro que tais pensamentos são irracionais. "Entretanto, a agonia causada é muito real. Há pouco do espírito cristão no homem que pode aumentar o tormento mental ao transformá-lo em piada."[217]

---

214 Spurgeon, "Faintness and Refreshing," p. 588.
215 ibid., p. 586.
216 Spurgeon, "The Frail Leaf," p. 589.
217 Spurgeon, "Helps to Full Assurance," p. 516.

Esse desejo pela morte entre os aflitos nos confronta com mistérios que não podemos compreender e dos quais nossos entes queridos não querem participar. "Pode ser desconcertante para nós considerar por que Elias deveria se colocar sob um arbusto de zimbro", reconhece Charles. "Mas quando nós mesmos estamos sob o zimbro, temos o prazer de recordar o fato de que uma vez Elias se sentou lá. Quando nos escondemos na caverna, é uma fonte de conforto para nós nos lembrarmos que um homem como ele, esse grande profeta de Israel, esteve lá antes de nós."[218].

Portanto, a misericórdia de Deus nas Escrituras afirma-se novamente. "A experiência de um santo", descrita nas páginas sagradas, "é instrutiva a outros".[219] Mesmo os "santos" podem desejar morrer. Nós também podemos dizer, em meio a tudo o que nos aflige, "eu desprezei a vida" (Ec 2.17) e, com Jó, Jeremias e Salomão, também podemos sentir que seria melhor que nunca tivéssemos nascido.

Alguns de nós, neste momento, podem colocar este livro de lado por um instante. Podemos fazer uma pausa, chorar e orar com empatia por quão miserável deve ser o enorme abismo que consegue levar um ser humano ao desejo de acabar com sua vida. E que corajoso ato de fé deve ser requerido deles para que escolham o contrário, dia após dia. Em certos dias, quão fortes e misericordiosos são os braços da graça para conter o nosso ser em colapso.

---

218 Spurgeon, "Elijah Fainting," p. 272.
219 ibid.

Portanto, acautele-se a fim de que seus medos não o privem de ouvir como um cuidador, ou que suas certezas o impeçam de falar como um sofredor. "Frequentemente é um alívio maravilhoso ser capaz de expor sua tristeza". Segundo Charles, estava enganado o compositor de hinos que escreveu "suporte e suporte, e em silêncio esteja; não diga a homem nenhum a tua miséria". Ao contrário, diz ele: "é algo muito doce aliviar o fardo de seu coração".[220]

EXPONDO A INSENSATEZ DE QUERER MORRER

Até este ponto, embora nos assuste enquanto entes queridos, e esperançosamente nos justifique enquanto sofredores, reconhecemos a realidade da existência de desejos de morte em nossas vidas. Contudo, agora o problema que temos não é, em última análise, esse desejo de morte, mas as ilusões e supostos remédios que escolhemos para satisfazer esse desejo. "Quando um desejo de morrer é meramente o resultado da paixão, uma espécie de briga com Deus, como uma criança às vezes briga com seus pais", ensina Charles, revela-se "mais de loucura do que de sabedoria, e muito mais de petulância do que de piedade."[221].

Quando Jesus e a visão mais ampla do evangelho são eclipsados, nós, que desejamos o suicídio, por toda a nossa autocondenação, exaltamos a nós mesmos, inconscientemente, a um local elevado de conhecimento e importância. Nesse estado, assumimos uma postura onisciente, declarando que todos

---

[220] ibid., p. 281.
[221] Spurgeon, "Faintness and Refreshing," p. 586.

os bens, possíveis e futuros, morreram para nós. Nossa miséria nos envenenou com uma arrogância trágica. Nossas dores iludiram o nosso raciocínio. Do nosso ponto de vista "divino", de forma trágica e desorientada declaramos a nós mesmos e aos outros: "os meus olhos não tornarão a ver o bem". Um engano do tipo "tudo ou nada" infiltra-se em nossas convicções.

Em mensagens como *O Desejo de Paulo de Partir (Paul's Desire to Depart)*,[222] Charles identifica a tragédia destas convicções "tudo ou nada" que nos afogam no egoísmo. Essas mensagens negam o presente ou o futuro poder de Jesus:

- As circunstâncias são sempre difíceis. A vida só será má.
- As pessoas são terríveis. Não mudarão e sempre farão o que é errado.
- Estou envergonhado. Não posso viver com outros zombando da minha vergonha.
- Estou desapontado. Eu perdi. Sem ele, ela ou aquilo, não sou nada. Não posso viver sem eles, ou aquilo, ou com esta falha.
- Fui maltratado e sempre serei. Nunca serei o mesmo.
- Sou velho e não vou mais mudar. Nada de novo poderia me acontecer.
- Não consegui o que queria. Se não posso tê-lo do meu jeito, não há razões para nada. Vou fazer do meu jeito ou de jeito nenhum.
- Sou culpado. Fiz coisas terríveis. Não conseguirei me recuperar do erro que cometi.

---

222 Charles Spurgeon, "Paul's Desire to Depart," NPSP, Vol.5, Sermão 274 (http://www.spurgeon.org/sermons/0274.htm), acessado em 5/4/14.

A DEPRESSÃO DE SPURGEON

POR QUE ESPERA-SE QUE ESCOLHAMOS A VIDA

Sobre essas declarações de tipo "tudo ou nada" acerca da certeza de nossa melancolia futura, Charles as contraria citando 1 Coríntios 2.9 como uma promessa sob a sombra da qual podemos descansar: "Nem olhos viram, nem ouvidos ouviram, nem jamais penetrou em coração humano o que Deus tem preparado para aqueles que o amam". Essa inabilidade de conhecer o futuro se aplica às duas formas de desejo de morte.

Em primeiro lugar, falando àquele que quer morrer para estar com Jesus, Charles lembra os cristãos de que conhecemos o restante da história de Elias. Se naquela ocasião Elias soubesse cada momento significativo que ainda o aguardava no monte Horebe, ou em defesa de Nabote, ou com Eliseu, ou na escola dos profetas, ou a ironia maravilhosa de um carro de fogo, teria desejado viver até que ocorressem.

E do mesmo modo ocorre conosco. "Você não sabe, irmão, o quanto ainda há para viver; e você, minha irmã, não fale em morrer, pois você também tem muito mais a fazer", exorta Charles. "Você será como os homens que sonham, sua boca se encherá de riso, sua língua de cânticos e você vai dizer: 'Grandes coisas o Senhor tem feito por nós'."[223]

Em outras palavras, quando Elias diz "Basta; toma agora, ó Senhor, a minha alma", ele estava enganado em seu julgamento. "Não bastava". Estava errado. Sua dor estava mentindo para ele em relação à sua habilidade de conhecer o seu futuro, que, por sua vez, na verdade, estava repleto de bênçãos.

---

223 Spurgeon, "Elijah Fainting," p. 284.

Somos lembrados da maravilhosa misericórdia. Pessoas como Jó, Moisés, Elias e Jonas expressaram, plenamente e sem reservas, seu desejo de morrer. Todavia deixaram com Deus a resposta aos seus desejos. Pediram a Deus para decidir suas vidas e se abstiveram de decidir por si mesmos. Quão difícil deve ter sido. Mais difícil do que a maioria pode imaginar.

No entanto, às vezes, os atos mais corajosos de fé e sabedoria são como um ser humano mentalmente perturbado e querendo morrer, caído, porém seguro diante do trono da graça. "Outros pensam que você é tolo, o chamam de nervoso, e o convidam a se recompor, mas eles não conhecem o seu caso. Se eles o compreendessem não iriam zombar de você com tais admoestações."[224]

Em segundo lugar, Charles falou não só aos Cristãos, mas também àqueles que queriam morrer por outras razões além de Jesus. Ele apela primeiro ao testemunho. O apóstolo Paulo experimentou quase todos os itens de nossa lista de mensagens suicidas mencionadas acima. Circunstâncias terríveis, inimigos, decepções, vergonha, abusos, sofrimento, velhice e culpa por coisas terríveis forjaram a história de sua vida. No entanto, em Jesus, Paulo encontrou uma nova identidade, uma nova vida. Descobriu que podia viver sem os tesouros e a estima que uma vez imaginou serem necessários. Descobriu que poderia viver com constrangimentos, difamações,

---

[224] Charles Spurgeon, "A Agonia no Getsêmani," MTP, Vol. 20, Sermão 1199 (http://www.projetospurgeon.com.br/2012/03/a-agonia-no-getsemani/)

humilhações e maus tratos que considerou, uma vez, serem insuportáveis. O perdão havia forjado um caminho para um bem viver; uma vida diferente da que ele pensava que deveria ter tido, porém melhor.

Paulo recebeu essa graça de Jesus. Nosso Senhor suportou o peso de decepções, circunstâncias terríveis, maus tratos implacáveis e teve colocada sobre si uma culpa que não era sua própria. E aqueles que estavam aflitos e desamparados, inquietos e perdidos, desesperados e traumatizados, encontraram nele, e de um modo que nunca imaginaram, o amor e a cura. O jardim onde a depressão lhe tomou conta, a cruz em que sofreu fisicamente, a morte sobre a qual triunfou, a intercessão a que ele lhe convida agora, traz esperança realista para a proximidade do seu e do meu desespero.

Por essa razão, Charles também suplicou àqueles que não haviam sido salvos pela graça de Jesus para, de qualquer maneira, resistir à tentação de tirarem a própria vida. Sem esse Salvador esperando do outro lado, o suicídio é como uma isca escondendo seu anzol. Longe de ajudar ou aliviar sua situação, tal morte só aumenta a proximidade do desespero. E, desta vez, nenhuma esperança, realista ou não, poderá ser encontrada.

O QUE APRENDEMOS?

1. *Os Cristãos mais verdadeiros podem experimentar a depressão e desejar morrer.* "Somos a mistura de contradições mais estranha jamais conhecida" diz Charles.

"Nunca seremos capazes de entender a nós mesmos". Dúvidas podem perseguir os fiéis.[225]
2. *Os Cristãos mais verdadeiros podem fazer coisas tolas.* Para um crente corajoso, tremer frente à morte "é estranho, mas nós somos criaturas muito estranhas. Não há um homem aqui que não é tolo às vezes; certamente aquele que está no púlpito tem precedência a todos vocês a esse respeito."[226].
3. *Temos de ter muito cuidado antes de julgar alguém que tenta superar misérias que nós mesmos nunca experimentamos.* "Precisamos somente ser encurralados, como Elias foi, e nossa insensatez será descoberta como foi a dele. Ele deveria ter orado para viver, mas orou para que morresse."[227]. "No momento da provação, você também será tão fraco quanto os outros homens."[228].
4. *O Cristão que experimenta a dúvida não é abandonado por Deus.* "Ninguém duvida de que Elias era um filho de Deus; ninguém questiona o fato de que Deus o amava mesmo quando ele se sentou desfalecido debaixo do zimbro." Ainda que, sob o arbusto, nós e Elias tenhamos "queridas paixões que Deus não aprova, o Senhor não abandonou Elias e não abandonará você".[229]

---

225 Spurgeon, "Sweet Stimulants for the Fainting Soul," p. 578.
226 Spurgeon, "Elijah Fainting," p. 278.
227 ibid.
228 ibid., p. 275.
229 ibid., p. 273.

5. *Somos o que somos pela graça de Deus.* Essa cena nos lembra de que "Elias não era forte por natureza, mas apenas na força transmitida a ele por Deus, de modo que quando a força divina se foi embora, ele não era mais do que ninguém"[230]. "Ele falhou como todo o povo de Deus falha. Eu escassamente conheço alguma exceção em todas as biografias do Antigo ou Novo Testamento."[231]

RECONSTRUINDO NOSSA ESPERANÇA

O suicídio não é o pecado imperdoável. O seguidor de Jesus não está perdido por causa desse ato hediondo. Isso dá, a nós que permanecemos, esperança para com aqueles que amamos.

E, no entanto, as tristes consequências permanecem, não só para aqueles que escolheram o suicídio, mas para aqueles que os amavam e foram deixados para trás. Assim como outros pecados estão pagos por Cristo, esse, da mesma forma, também está. Contudo, assim como outros pecados causam danos a nós mesmos e aos outros, esse não é exceção.

Perdemos o futuro que poderíamos ter conhecido. Infligimos danos terríveis àqueles que nos amam e a quem amamos. Entregamo-nos às próprias coisas das quais Jesus nos salvou por sua morte. Perdoado e em casa com ele, sim! Sim! Porém muito ainda deve ser pago e curado por Jesus.

---

[230] Spurgeon, "Elijah Fainting," p. 273.
[231] ibid.

O Suicídio e a Escolha pela Vida

Nós, entes queridos que permanecem, ficamos com imaginações e memórias para sempre marcadas por cenas horríveis. A perda de tempo, de amor, de dons e significados parte nossos corações e nos muda. Podemos nos tornar mais indignados ou duros do que já fomos. Podemos ficar mais insones ou mais melancólicos do que já fomos. Também precisaremos de ajuda para perdoar a escolha egoísta. Também poderemos até mesmo enfrentar a tentação de imitar o suicídio e infligir duplo dano sobre a comunidade. E, se o nosso ente querido não cria em Jesus, sofremos com imaginações terríveis acerca da ausência de céu para ele. Lutamos rumo à esperança da misericórdia de Deus sobre as pessoas e sobre as escolhas que não podemos controlar. Trabalhamos para imaginar a presença de sua misericórdia no último momento violento, despertando nosso ente querido a gritar e a se inclinar para Deus. Com todas essas imagens sofremos pelo desconhecido.

A esperança foi desmantelada, talvez destruída. Porém uma visão mais ampla, uma história maior existe em Jesus. Com o tempo, se for realista e enraizada, mesmo a esperança demolida pode se tornar esperança reconstruída, não apenas na cruz e no túmulo vazio, mas também no jardim e no suor que se tornou como gotas de sangue.

Nesse meio tempo, os comentários e orações de Charles se tornam os nossos:

> A morte seria recebida como um alívio para aqueles cujos espíritos deprimidos fazem da

sua existência uma morte em vida. Aos homens bons nunca é permitido sofrer assim? Na verdade, a eles é; alguns deles são até mesmo sujeitos à escravidão por toda a vida. Ó, Senhor, que agrade a ti libertar teus prisioneiros de esperança! Permite que nenhum dos teus pranteadores imagine que uma coisa estranha lhe aconteceu, mas que se regozije ao ver as pegadas de irmãos que pisaram antes nesse deserto.[232]

---

232 Spurgeon, *Treasury Psalm 88*.

Capítulo 12

OS BENEFÍCIOS DA AFLIÇÃO

"Ser atirado ao chão é frequentemente a melhor coisa que poderia nos acontecer."[233]

Durante os primeiros momentos de uma crise, raramente é sábio e, muitas vezes, cruel dizer o que Charles diz na citação acima. Enquanto alguém vomita por causa da quimioterapia, ou lava-se após um ataque físico, ou absorve a perda de um emprego ou chora junto ao túmulo de sua criança. Nesses momentos, aprendemos com a melhor prática dos amigos de Jó. Não dizemos nada. Sentamo-nos nas cinzas. Choramos com aqueles que choram. Falamos mais com Deus a respeito deles do que lhes falamos a respeito de Deus. Nesses primeiros horríveis momentos, não precisamos declarar que diferença a graça e o tempo nas mãos de Deus podem fazer. Sabiamente, não falamos nada.

---

[233] Charles Spurgeon, "Sweet Stimulants for the Fainting Soul," MTP, Vol. 48, Sermão 2798 (Ages Digital Library, 1998), p. 581.

A DEPRESSÃO DE SPURGEON

No tempo de Charles, alguns dentro da comunidade psicológica também entenderam isso. Com frequência, antes que possamos oferecer ajuda "moral" ao que sofre, devemos primeiro limpar o caminho, permitindo que o tempo, o cuidado sem palavras e outras ajudas higiênicas e médicas reduzam as ansiedades e humores do trauma presente. Enquanto a dor diminui e a lucidez se recupera, pedaços de biscoito e gelo podem ser engolidos sem que sejam vomitados de volta. Frases e silêncios podem lentamente se reunir em uma conversa e, mais cedo ou mais tarde, juntos falaremos de Deus e seu propósito para tudo isso.

Então voltemos juntos a fazer a velha pergunta mais uma vez. Se acreditamos em Deus ou preferimos acreditar em nossas dúvidas sobre ele, essa antiga pergunta permanece a mesma. Em comum com toda a história da humanidade, o que nós sofredores queremos saber é "Por quê?".

OLHANDO PARA DENTRO DE BEDLAM

Não é que não tenhamos nenhuma razão para continuar. Podemos descrever muito sobre "o quê" das aflições em suas várias formas, incluindo o que há de pior dentre todos os transtornos mentais. Charles, por exemplo, pastoreou a sua igreja que ficava na mesma rua do *Saint Luke's Hospital*. Ele descreve "o quê" viu ao caminhar pelos corredores: "ossos quebrados, distúrbios que deprimem o sistema, doenças incuráveis, aflições que destroem e abalam a estrutura, e dores de todo tipo, praticamente insuportáveis."[234].

---
234 Charles Spurgeon, "Overwhelming Obligations," MTP, Vol. 16, Sermão 910 (Ages Digi-

Descendo a rua, Charles nos informa que também lá "fica uma cúpula", não tão distante do local onde discursava na época. Charles fala com voz notoriamente sóbria: "agradeço a Deus pela existência do lugar do qual a cúpula faz parte — para onde nem consigo olhar". Então, talvez voltando o pensamento para quando sua própria mente quase desfalecia, Charles pausa e diz: "Eu espero nunca olhar para isso sem erguer meu coração em agradecimento a Deus por minha razão haver sido poupada"[235]. A cúpula a que Charles se refere é o *Bethlehem Hospital*, ou como nós o conhecemos hoje, Bedlam.

Em seguida, ele imagina os corredores de Bedlam. Com empatia e mistério, passa a descrever "o quê" de nossas mentes doentes. "Não é uma pequena infelicidade ser desprovido de nossas faculdades, ter a mente varrida de lá para cá em ciclones de loucura desesperada e furiosa, ou ser vítima de alucinações que nos tornam inúteis e até mesmo nos tiram do companheirismo com o semelhante."[236]

Bedlam faz com que Charles fale "daqueles que sofreram a perda de toda razão". Porém admite que "nenhum resultado prático" vai fluir da tentativa de entendimento de como Deus e sua graça explicam um ser humano nesta terrível condição. "Então, deixo isso para lá", diz ele.[237]

---

tal Library, 1998), p. 33.
235 Charles Spurgeon, "Overwhelming Obligations," MTP, Vol. 16, Sermão 910, p. 33.
236 ibid.
237 Charles Spurgeon, "A Promise for the Blind," MTP, vol. 55, Sermão 3139 (Ages Digital Library, 1998), p. 233.

Com isso, o pregador decepciona a nós que queremos uma resposta. O homem de Deus é humano também. Ele não sabe e nem nós sabemos. Só sabemos descrever "o quê", mas não "o porquê" de Deus permitir tal sofrimento, se Deus é Deus.

EU NÃO MUDARIA ISSO

Também sabemos muito sobre "como" as aflições e a depressão, em suas várias formas, operam em nossas vidas. Neste livro, descrevemos suas misérias. Contudo, benefícios surpreendentes da aflição também forjam parte do que conhecemos.

Afinal, às vezes, os sofredores dizem uma coisa estranha. Eles dão graças pelo que têm sofrido. Não todos, obviamente. Sabemos muito bem como as aflições podem alterar negativamente uma pessoa — elas podem nos endurecer, nos deixar amargos, esmagar nossa fé em Deus e nos fazer céticos sobre as pessoas.

Mas muitos que gostariam que seus sofrimentos não acontecessem nos dizem, todavia, que vieram a aprender boas coisas que, de outro modo, não aprenderiam. Charles é uma dessas pessoas. "Frequentemente me sinto muito grato a Deus por ter sofrido tenebrosa depressão", declara ele. "Conheço as fronteiras do desespero e a horrível beira desse abismo de trevas dentro do qual meus pés quase desapareceram."[238]

Mas por que ele é grato à depressão? Charles responde: "Centenas de vezes fui capaz de dar uma compreensão

---

[238] Charles Spurgeon, The Soul Winner (http://www.spurgeon.org/misc/sw14.htm), acessado 21/3/14.

útil aos irmãos e irmãs que vieram para essa mesma condição, cuja compreensão jamais poderia ter dado se não tivesse conhecido o desânimo profundo deles"[239]. Nem todos nós estamos prontos para dizer o que Charles está dizendo. Nossa dor fica muito profunda.

No entanto, isso pode nos ajudar a saber que Charles não expressava essa gratidão pela depressão de maneira leviana. Às vezes, ele conseguia meditar sobre o mesmo assunto e chegar a uma conclusão diferente. "Ainda nunca ouvi falar de ninguém que extraísse qualquer coisa boa do desespero."[240] Ele também não podia ser leviano, porque sua transparência acerca da depressão teve um preço para ele. Alguns até usavam sua depressão contra ele como um meio de repudiar o que ele tinha a dizer.[241]

No entanto, em meio à dolorosa decadência e ao fluxo desses sofrimentos, Charles voltou-se repetidas vezes à convicção de que não negociaria sua fé e seus sofrimentos. Também podemos encontrar, a tempo, nossa direção por este caminho surpreendente:

> Sofri tanta dor física como a maioria aqui presente e também sei tanto sobre a depressão de espírito quanto qualquer um (...) não trocaria

---

239 ibid.
240 Charles Spurgeon, "A Discourse to the Despairing," (http://www.spurgeongems.org/vols40-42/chs2379.pdf), acessado em 21/3/14.
241 Charles Spurgeon, "A Prayer for Revival," MTP, Vol. 41, Sermão 2426 (Ages Digital Library, 1998), p. 518.

com o homem mais saudável, ou com o mais rico, ou com o mais culto, ou com o homem mais eminente em todo o mundo, se tivesse que desistir de minha fé em Jesus Cristo — provada como às vezes é.[242]

A BIGORNA, O FOGO E O MARTELO

Em seu proveitoso livro *Genius: Grief and Grace*, Dr. Gaius Davies observa historicamente que "muitos heróis, homens e mulheres de genialidade que conquistaram tanto, fizeram o que fizeram a despeito de muito sofrimento". Na verdade, o que Dr. Davies observa é que "muitos disseram que suas provações e dificuldades lhes permitiram ter o sucesso da maneira que tiveram"[243].

Charles acreditava nisso também. Seis anos antes de sua morte, enquanto rememorava sua vida, ele nos surpreende com sua perspectiva sobre a utilidade do sofrimento para fazer o bem na vida:

> Estou certo de que corri mais rapidamente com uma perna manca do que já corri com uma saudável. Estou certo de que vi mais no escuro do que jamais vi na luz — mais estrelas, com certeza — mais coisas no céu e menos coisas na ter-

---

[242] Charles Spurgeon, "Witnesses Against You," MTP, Vol 36, Sermão 2123 (Ages Digital Library, 1998), p. 40.
[243] Dr. Gaius Davies, *Genius, Grief & Grace: A Doctor Looks at Suffering & Success* (Scotland: Christian Focus, 2008), p. 13.

ra. A bigorna, o fogo e o martelo são o que nos formam; não somos tão lapidados por qualquer outra coisa. Esse martelo pesado caindo sobre nós ajuda a obtermos forma. Portanto, deixe a aflição, a tribulação e a provação virem.[244]

Ao dizer isso, Charles assemelha-se ao apóstolo Paulo, que clamou por alívio, mas não encontrou nenhum. Portanto, em vez disso, escolheu gloriar-se em tudo o que era fraco e falho acerca de si mesmo, descobrindo que a presença de Deus com ele provou ser mais abençoada do que a ausência de suas dores.

Portanto, Charles acreditava naquilo que alguns duvidam, sobretudo, que a presença do mal não requer a ausência de Deus. Mais ainda, ele acreditava que o sofrimento pode existir e ainda assim Deus ser bom; tanto como Deus é bom em si mesmo como também é em relação a nós que sofremos. Nessa fé, Charles encontrou força, convicção, perseverança, alegria renovadora e uma paz que, de alguma forma, transcende as dores mais atormentadoras que ele vivenciou.

Ele encontrou sua história pessoal nas histórias dos heróis bíblicos que lutaram contra grandes provações, como Moisés, Elias, Davi e Paulo. Com José, Charles se apossaria das palavras "o mal que intentastes contra mim, Deus o tornou em bem" (parafraseando Gênesis 50.20). Ele acreditava que até mesmo as escolhas mais abomináveis de homens e mulheres não poderiam impedir que o bom propósito de Deus aconteça

---

[244] Hayden, *Searchlight on Spurgeon*, p. 178.

em nossas vidas.

Em resumo, Charles não sabia por que Deus permitia tais coisas, mas sabia se inclinar diante da presença de Deus dentro dessas permissões, e também obter o benefício que Deus haveria de prover através delas.

MELHOR NÃO DESISTIR

Sob esta perspectiva, uma nova pergunta se junta à antiga. Não apenas indagamos "Por que coisas ruins acontecem?", também nos admiramos e indagamos "Por que coisas boas ainda persistem?". Charles considera muitos benefícios nas aflições. Esses benefícios duram mais e definitivamente triunfam sobre nossa dor, miséria e mal. Talvez enquanto você lê sobre esses benefícios, não se ache capaz de estimá-los como Charles o fazia. Não deixe isso impedi-lo de meditar sobre eles. Talvez com o tempo alguns deles vão se tornar tão queridos por você quanto eles uma vez foram para Charles.

A aflição nos ensina a resistir às compreensões ilegítimas sobre como é a maturidade em Jesus. A fé não é carrancuda. A maturidade não é indolor. Desarrumados e acamados em meio ao nervosismo e à ausência de resposta, isso não é necessariamente um sinal de impiedade. É a presença de Jesus e não a ausência de deleite que designa a situação e provê nossa esperança. Charles diz dessa maneira: "A depressão de espírito não é índice de declínio da graça; a própria perda da alegria e a ausência de garantia podem ser acompanhadas pelo maior avanço na vida espiritual (...) não queremos chuva todos os dias da semana e em todas as semanas do ano, mas se a chuva vem algumas vezes, ela deixa o campo fértil e enche os riachos."[245].

As aflições aprofundam nossa intimidade com Deus. Quando crianças, "estávamos fora ao entardecer, caminhando com nosso pai. Costumávamos, às vezes, correr bem à frente. Logo aparecia um cão grande solto na rua, e era surpreendente o quão intimamente nós então nos agarrávamos ao nosso pai."[246].

Charles pode repetir as palavras do Salmo 119 em relação à bondade, não à aflição em si, mas antes à obra redentora de Deus dentro dela. "Descobri que há uma doçura dentro da amargura que não é encontrada no mel; uma segurança com Cristo em uma tempestade pode ser perdida em uma calmaria. É bom para mim que eu tenha sido afligido."[247].

Da mesma maneira, ele pode testemunhar de seu púlpito a respeito de como suas tribulações na verdade aumentaram sua estima por Jesus. "Eu estive gravemente doente e tristemente deprimido e temo que tenha me rebelado e, portanto, olho de novo para ele e lhes digo que, nesta noite, ele é mais justo aos meus olhos do que era no início."[248]

As aflições nos capacitam a melhor receber as bênçãos. "Essa queda no pó às vezes permite ao cristão carregar uma bênção de Deus que ele não conseguiria ter carregado se tivesse es-

---

245 Spurgeon, "Sweet Stimulants for the Fainting Soul," Vol. 48, Sermão 2798 (http://www.biblebb.com/files/spurgeon/2798.htm), acessado em 25/3/14.
246 Spurgeon, "Sweet Stimulants for the Fainting Soul."
247 Hayden, *Searchlight on Spurgeon*, p. 185.
248 ibid., p. 184.

tado em posição vertical. Há, de fato, tal situação como estar sendo esmagado por uma carga de graça, vergar devido a um tremendo peso de bênçãos, tantas bênçãos de Deus que, se nossa alma não estivesse prostrada por elas, elas seriam ruína para nós."[249].

As aflições esvaziam nossas pretensões. A aflição descostura a bainha de nossas racionalizações. "Quando essa tristeza vem, nos leva a operar um autoexame (...) quando sua casa tremeu, isso o fez ver se ela tinha sido alicerçada sobre a rocha."[250], diz Charles.

A aflição expõe e extirpa nosso orgulho. Talvez possamos pensar nisso desta maneira, tal quando de pé em uma loja de brechó, lembramo-nos do ditado "o lixo de um homem é o tesouro de outro". Com frequência misturamos o que Jesus valoriza com o que de boa vontade ele elimina. As aflições revelam para onde estivemos com os olhos arregalados, se para novos vazios ou ignorando tesouros antigos. "Estamos muito aptos a crescer em demasia", diz Charles. "É uma boa coisa para nós sermos levados para baixo, para um buraco ou dois. Às vezes nos elevamos alto demais em nossa própria estima e, a menos que o Senhor leve embora um pouco de nossa alegria, seríamos totalmente destruídos por nosso orgulho."[251].

As aflições nos ensinam a empatia para com o outro. Spurgeon diz: "Se nunca estivemos com problemas conosco

---

[249] Spurgeon, "Sweet Stimulants for the Fainting Soul," p. 580.
[250] Spurgeon, "Sweet Stimulants for the Fainting Soul".
[251] ibid.

mesmos, seremos muito pobres consoladores para os outros (...) não seria desvantagem alguma para um cirurgião se ele alguma vez soubesse o que é ter um osso quebrado. Você pode depender de que o toque dele seja mais delicado no futuro. Ele não seria tão duro com seus pacientes como seria se nunca tivesse sentido tal dor em si mesmo."[252].

As aflições permitem que pequenas gentilezas ganhem vulto. "Vocês sabem, queridos irmãos e irmãs, que um singelo ato de gentileza pode nos levantar quando estamos muito rebaixados de espírito (...) até mesmo um olhar terno de uma criança pode ajudar a remover nossa depressão. Em momentos de solidão, é relevante até mesmo o fato de ter um cachorro ao lado para lamber sua mão e lhe mostrar tanta bondade quanto para ele for possível."[253]

As aflições nos ensinam a encorajar outros que passam por provações. "E vocês, tímidos, pessoas nervosas, não descobriram por si só que, se alguma vez se envolverem em um acidente, lá vocês serão frequentemente as pessoas mais corajosas? Vocês que são frágeis e trêmulos parecerão fortalecidos no momento."[254]

CONCLUSÃO

As aflições são causadas por coisas feias. Entretanto, Jesus as

---

[252] ibid.
[253] Charles Spurgeon, "The Weakened Christ, Strengthened," MTP, Vol. 48, Sermão 2769 (Ages Digital Library, 1998), p. 148.
[254] Charles Spurgeon, "Refusing to Be Comforted," MTP, Vol. 44, Sermão 2578 (Ages Digital Library, 1998), p. 417.

adota como são. Ele as traz para dentro de seu próprio conselho. Aquele que ama até mesmo os inimigos coloca as nossas aflições à prova. Dá a elas seu próprio coração, provisão e casa. Vivendo com Jesus, as aflições se reconfiguram e assumem os seus propósitos a fim de promoverem as suas intenções. Nele, elas revertem e impedem as notícias desagradáveis.

Em outras palavras, nossas aflições pertencem a Jesus. Ele é seu mestre, não importa que pensamentos cruéis ou causa inexplicável lhes tenha dado luz. Jesus nos mostra suas feridas, as calúnias, as manipulações, as injustiças, os golpes no corpo, os maus tratos empilhados sobre ele. De lá ele ainda ama. Ele nos convida para a comunhão de sua compaixão. E nas profundezas, recebemos isso dele.

Charles apreciava uma determinada imagem. Ele retratou o momento em *O Peregrino*, quando o Cristão, em pânico, é engolido pelas profundezas de um rio e começa a afundar. A imagem retrata o companheiro do Cristão, chamado Esperança, empurrando-o para cima com o braço em seu entorno e levantando suas mãos, gritando: "Não temas! Irmão, eu sinto o fundo.".

Com essa imagem em sua mente, o pregador tão familiarizado com as aflições então se regozija com aqueles que o ouviam. "Isso é simplesmente o que Jesus faz em nossas provações", Charles proclama. "Ele coloca o seu braço ao nosso redor, aponta para cima e diz 'Não temais! A água pode ser profunda, mas o fundo é bom'."[255]

---

255 Hayden, *Searchlight on Spurgeon*, p. 185.

Pode ser que você sofra de uma doença mental na forma de depressão de espírito. As coisas parecem muito obscuras e seu coração muito pesado (...) quando a vida é como um dia de nevoeiro — quando a providência está nublada e tempestuosa, e você é apanhado em um furacão (...) quando sua alma está excessivamente aflita e você está ferido como um cacho pisado em um lagar de vinho, ainda assim, agarre-se intimamente a Deus e nunca deixe de lado o temor reverente para com ele. A despeito de quão excepcional e incomum possa ser a sua provação, sussurre com Jó estas palavras: "Ainda que ele me mate, nele confiarei."[256]

Nesses sussurros, frequentemente despercebidos e inauditos, seus tesouros brilham como devem, pequenos, mas quentes como uma chama de vela dentro de uma jarra trincada. Inestimável é essa cintilação em meio aos ventos uivantes da profundeza da noite. Sua luz na vigília, destemida, continua a vigiar os desamparados, continua a vigiar até o raiar da manhã. O Sol pode não se elevar por algumas horas, ainda. Mas aqui, em meio às horas de espera, os aflitos têm um Salvador.

---

[256] Charles Spurgeon, "All the Day Long," MTP, Vol. 36, Sermão 2150 (Ages Digital Library, 1998), p. 433.

FIEL MINISTÉRIO

O Ministério Fiel visa apoiar a igreja de Deus, fornecendo conteúdo fiel às Escrituras através de conferências, cursos teológicos, literatura, ministério Adote um Pastor e conteúdo online gratuito.

Disponibilizamos em nosso site centenas de recursos, como vídeos de pregações e conferências, artigos, e-books, audiolivros, blog e muito mais. Lá também é possível assinar nosso informativo e se tornar parte da comunidade Fiel, recebendo acesso a esses e outros materiais, além de promoções exclusivas.

Visite nosso site

www.ministeriofiel.com.br

Esta obra foi composta em Chaparral Pro Regular 12, e impressa na Promove Artes Gráficas sobre o papel Pólen Natural 70g/m², para Editora Fiel, em Janeiro de 2025.